让孩子轻轻松松爱上科学,风靡韩国的百万畅销科学漫画书

世界上最酸甜可口的化学书

图书在版编目(CIP)数据

世界上最酸甜可口的化学书 /（韩）崔美华著；千太阳译.—北京：中信出版社，2009.6
（我超喜欢的趣味科学书）
ISBN 978-7-5086-1526-4

I. 世… Ⅱ.①崔…②千… Ⅲ.化学—儿童读物 Ⅳ.O6-49

中国版本图书馆CIP数据核字（2009）第064144号

世界上最酸甜可口的化学书
SHIJIE SHANG ZUI SUANTIANKEKOU DE HUAXUE SHU

著　　者：［韩］崔美华
译　　者：千太阳
插　　图：［韩］张静午
策 划 者：中信出版社策划中心
出 版 者：中信出版股份有限公司（北京市朝阳区和平街十三区35号煤炭大厦 邮编 100013）
经 销 者：中信联合发行有限责任公司
承 印 者：北京通州皇家印刷厂
开　　本：787mm×1092mm 1/16　　印　　张：8.5　　字　　数：40千字
版　　次：2009年6月第1版　　印　　次：2012年 2月第17次印刷
京权图字：01-2009-0843
书　　号：ISBN 978-7-5086-1526-4/G · 323
定　　价：28.00元

服务热线：010—84264000
010—84264377
http://www.publish.citic.com
E-mail: sales@citicpub.com
author@citicpub.com

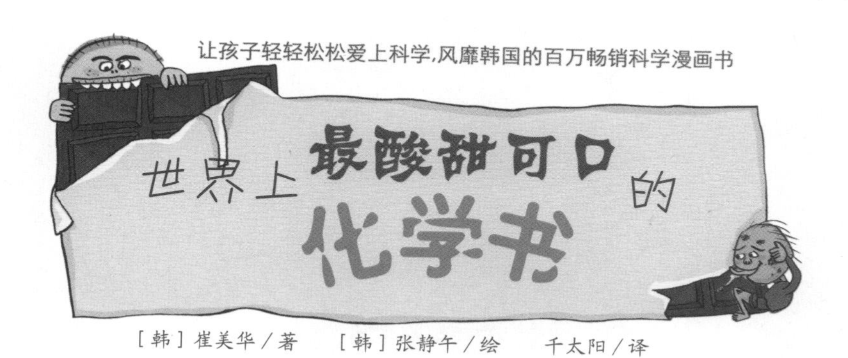

世界上最酸甜可口的化学书

[韩] 崔美华 / 著　[韩] 张静午 / 绘　千太阳 / 译

中信出版社·CHINACITICPRESS

【前言】

你了解酸甜可口的化学世界吗?

化学是一门研究原子和分子等微小粒子、由它们组成的数十万种物质是如何形成的、这些物质具有什么性质和特点等方面知识的学科。

近来，我们经常会听到“纳米世界”这个词，其实它指的就是分子们的世界。纳米是指十亿分之一米，是我们肉眼看不到的长度单位。正因为化学研究的就是这种小世界，所以它需要我们无限的想象力。因为，它要把看不到的东西变成可见的东西。

我们每天吃的食物里也隐藏着化学知识。那么，醋精的酸味和汽水的刺激味道中究竟隐藏着什么秘密呢？还有，你知道我们通常所说的“碱性离子饮料”其实就是酸性溶液吗?

很多人认为二氧化碳是大气污染的主要因素，但同时它也是赋予生命的气体。在植物的叶子里面，叶绿素会用二氧化碳、水和太阳光制造出葡萄糖，而葡萄糖又会以淀粉或纤维素的形式储存在植物里，因此我们才能通过植物来摄取营养成分。由此可知，二氧化碳的确是赋予生命的气体。

发酵和腐烂有什么区别？为什么说嚼木糖醇口香糖可以预防蛀牙？运动员们为什么喜欢离子饮料多于清水？冰激凌为什么会那么柔滑？去除鱼的腥味时，为什么要洒柠檬汁？凉饭为什么没有热饭好吃？对人类身体有害的反式脂肪酸究竟是什么？

粗心大意使我们很容易错过食物中的科学原理，本书将会帮你把这些原理一一找出并加以说明。以前我们在品尝美味佳肴时产生过的那些疑惑，将会在本书里得到解答；之前看起来像迷一样的科学，接触后你会发现它们其实很好理解……在阅读的过程中，本书将会满足你极度膨胀起来的好奇心。那么接下来，就让我们沉浸在酸甜可口的化学世界里，尽情遨游吧！

崔美华

2008年1月

【目录】

用餐时研究酸甜 可口的**化学**

吃零食的时候研究酸甜可口的**化学**

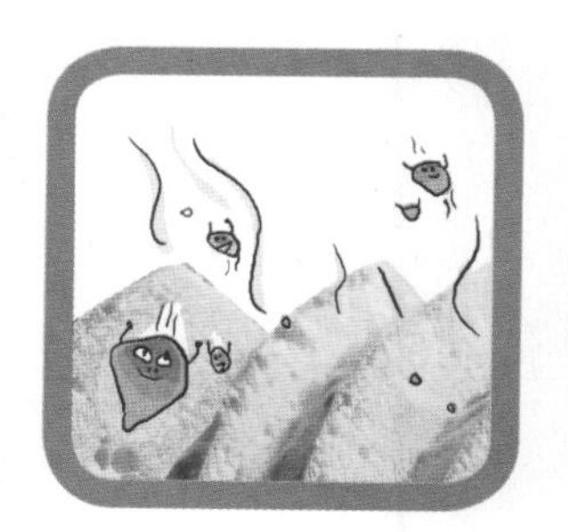

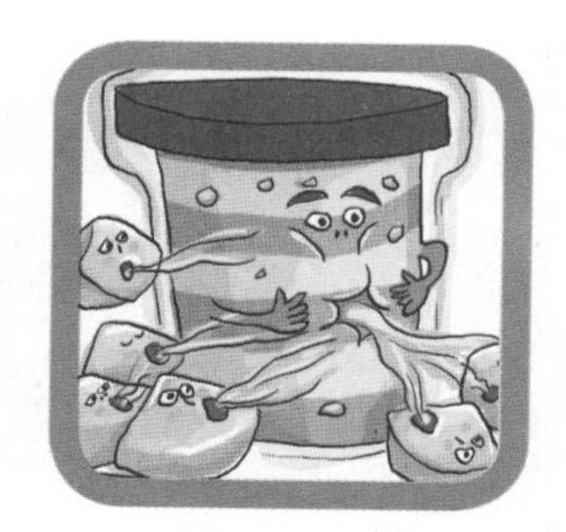

用餐时研究酸甜
可口的 化学

味道因温度而异的米饭

当我们吃着热气腾腾的米饭时，我们不仅能感受到妈妈的心意，而且还发觉它比凉米饭好吃多了。虽然古话说“不分冷热饭”，但热饭的确要比凉饭好吃。那么，明明用同一种大米蒸煮成的米饭，为什么味道有这么大的差别呢？

凉饭因淀粉老化现象而变得不好吃

大米的主要成分是淀粉，淀粉中有数百到数千不等的葡萄糖分子相互结合。按照葡萄糖结合后的不同形状，淀粉可以分为直链淀粉和支链淀粉。直链淀粉里，数百个葡萄糖分子呈线状连接；而支链淀粉里，超过千个以上的葡萄糖分子呈枝桠状连接。

直链淀粉和支链淀粉不仅形状不同，性质也不同。直链淀粉易溶于水，即使在冷水中也是如此；而支链淀粉却不溶于冷水，只有在热水中才会融化，成黏稠状。

大米中含有直链淀粉和支链淀粉。大米中的淀粉是直链淀粉和支链淀粉有规律地黏合在一起的，被称为 β 淀粉。

在大米中倒入清水加热的话，水分子会渗入 β 淀粉的链状结构中。这样一来，原本有规律地黏合在一起的直链淀粉和支链淀粉会变得不规律，结构松散。淀粉的这种形态被称为 α 淀粉。

β 淀粉转变为 α 淀粉的这种过程就被称为淀粉的糊化现象。淀粉出现糊化现象后，淀粉的结构变得不规律而松散，同时变得柔软而易于消化，这一过程就是生米变成熟饭的过程。

那么，米饭变凉后为什么就变得不好吃了呢？这是因为刚做好

水分子们吸收微波后互相摩擦产生热，从而把比萨加热。

的饭呈α淀粉状态，但是慢慢变凉、失去水分后就变成了β淀粉的缘故。像这样，α淀粉转变为β淀粉的现象被称为淀粉的老化现象。

所谓的老化一般是指随着生物年龄的增加，其功能和性质逐渐衰退的现象。在0℃左右、水分含量为30%～60%时，最容易出现米饭的老化现象。因此，如果不想失去米饭的美味，就应该盛在温热而密闭的容器里保存。只有这样才不会让米饭失去水分，才能长时间维持α淀粉的状态。这就是可以让米饭保持美味的保温饭锅的原理。

利用跳舞的水分子来加热食物的微波炉

那么，有没有什么方法可以让凉饭重新变得美味呢？最简单的方法就是用微波炉加热。

微波炉是利用电磁波来加热和煮熟食物的厨具，而不是利用热能。电磁炉有一个叫磁电管的部件，电流通过它时就会放射出一种叫微波的电磁波。因此，微波炉在英语里被称为microwave oven。

和电视或收音机中使用的电磁波相比，微波的振动频率要快得多。微波的频率几乎和水分子的旋转频率一致，因此它很容易就能被食物中的水分子吸收。

水分子吸收微波后，就会在原地高速转动，从而和周围其他水分子发生摩擦，产生热量。让食物变热的正是水分子摩擦时产生的热量。

水分子摩擦时产生的热量和食物中含有的水分的量有关。因此，不含水分的食物因为没有转动的水分子，就算用微波炉加热，它的温度也不会升高。

煤气炉、电磁锅等厨具都是从外部加热食物的。因此，如果在短时间内施加过强的热量的话，食物的表面和中心就会出现温差，从而出现表面烧焦、中心没熟的现象。

但是，如果利用微波炉的微波来加热、蒸煮食物，因为食物中的所有水分子都在同时转动，所以食物的表面和中心会一起受热。

微波炉的发明

微波炉的发明非常偶然。

1946年，当时在生产军事雷达的公司上班的斯本塞博士，用新生产的一种叫磁电管的真空管做实验时，发现了一个奇怪的现象：在并不炎热的天气里，他口袋里的食糖竟然融化掉了。而让他后来更为诧异的是，使他口袋里的食糖融化的竟是他在做实验时产生的微波。后来，利用这个原理，斯本塞博士发明了微波炉。

这样一来，不仅不会出现食物表面烧焦的现象，还可以大大缩短加热和蒸煮的时间。

此外，不拆开包装或者放在碗碟里也可以直接利用微波炉来加热，同时还能减少变味、维生素等营养物质被破坏的现象。然而，微波炉也有它的缺点，那就是调温时很难做到细致入微，也不能一次性做出很多人的食物。

冰不含有可以跳舞的水分子

微波炉不仅可以用来加热食物，还能让冷冻的食物融化。使冻住的物体融化的现象称为解冻。一般在微波炉的功能使用介绍里，都有“解冻”这一说明。

然而，如果把冰块直接放入微波炉里加热的话，冰块却很难融化。这是因为，在冰里，水分子有规律地紧密地结合在一起，因此就算被微波照射，水分子也不能自由跳舞。这样一来就无法产生热量，冰块也就不能融化了。

但是，我们可以利用微波炉的解冻功能来让冰融化。如果选择了解冻的方式，微波炉就不会持续放射微波，而是间歇性地放射微波。这样的话，冰块表面的水分子会首先变热，随后整个冰块也会开始慢慢融化。

比如，把冷冻肉放进微波炉里解冻时，微波并不会直接融化肉里面的冰，而是先让冰周围的水分变热，再让变热的水自动融化冰。这样的过程反复进行很多次后，冰就会全部融化。到那个时候，水分子就会开始旋转、摩擦，产生热。

然而，虽然微波可以通过玻璃、瓷器、纸张等大部分物质，但却很难穿过金属。当它接触到金属表面时，大部分微波会被反射回来。因此，当我们把铝箔放进微波炉里接上电源时，就会发生非常危险的事情。铝箔属于金属，所以它会反射掉大部分的微波，慢慢地就会使金属表面出现火花，甚至会被烧黑。

因此，我们绝对不能把金属物质放进微波炉里加热！

酸、甜、脆、辣并重的韩国泡菜

一提起泡菜，我们首先想到的材料就是白菜。用盐腌制翠绿而新鲜的白菜就是做辣白菜的第一步。那么接下来，我们就在做辣白菜的过程中寻找其中隐藏的科学道理吧。

腌制白菜的原理是渗透现象

把白菜泡在盐水里会怎么样呢？白菜是不是就软化了？那么，在白菜软化的过程中盐水发挥的作用又是什么呢？为了解答这些问题，下面就让我们先来了解一下半透膜吧。

气态或液态的混合物中，有选择性地让某种成分通过的膜被称为半透膜。

在从市场上刚买回来的新鲜白菜中，水分的含量接近90%，剩下的部分则是碳水化合物和微量的蛋白质。白菜含有的水分主要位于白菜细胞的细胞膜内，而这种细胞膜的结构就是半透膜。

植物细胞膜是一种半透膜，上面有无数的小孔，只要是比水分子大的粒子就无法通过。也就是说，比半透膜上的小孔小的分子可以通过半透膜，而比半透膜上的小孔大的分子就无法通过半透膜。

如果在半透膜的两侧各放入浓度不同的溶液，低浓度溶液里的水分子就会向高浓度溶液移动。只要两侧的溶液有浓度差，水分子的移动就不会停止，一直到两侧溶液的浓度相同为止。这种现象被称为渗透现象。

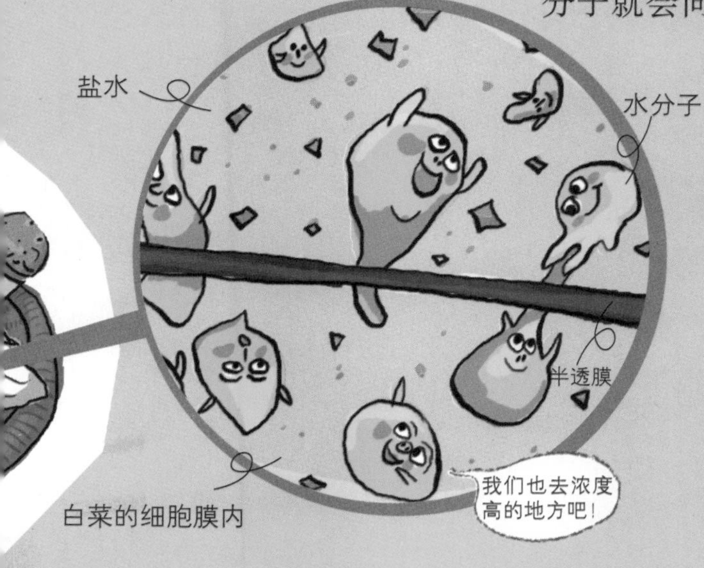

在盐水中浸泡白菜时就会发生渗透现象，因为白菜细胞

膜，即半透膜两侧的浓度不同。白菜细胞膜内的浓度比盐水的浓度要低，因此白菜细胞膜内的水分会向盐水移动。换句话说，白菜叶子就会失去水分，从而变得布满褶皱。以细胞膜为界限，如果白菜几乎丧失了所有的水分，白菜不仅会软化，还会带有咸味。那么，为什么仅仅是失去了水分子就让它变咸了呢？

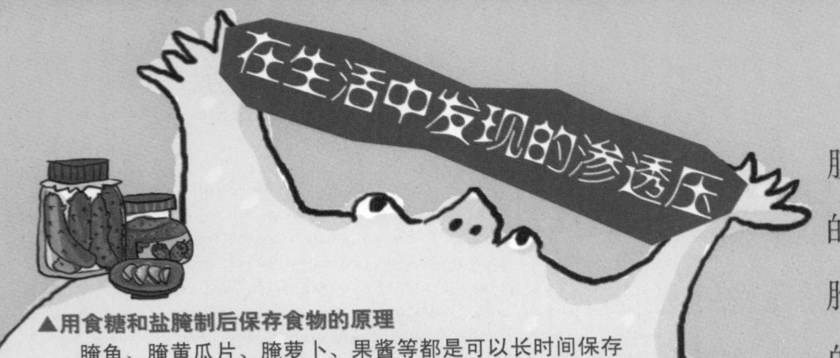

▲用食糖和盐腌制后保存食物的原理

腌鱼、腌黄瓜片、腌萝卜、果酱等都是可以长时间保存的腌制食品，原理也很简单。蔬菜或水果因渗透压而失去水分，其内生活着的微生物也因失去水分而死亡，从而可以长时间保存。

▲植物根部吸取水分的原理

植物根部的浓度比泥土里面的水的浓度高，因此土里面的水会因渗透压而流入植物根部。又因为根部的浓度比叶子部分要低，因此根部的水分会再次流入叶子。此时，叶子的蒸腾作用又会促进根部吸收水分。

▲如果长时间待在泳池或浴池里手脚就会布满褶皱的原理

这是因为：皮肤细胞的浓度比泳池或浴池里的浓度高，因此，皮肤会通过渗透压来吸取水分，从而变得膨胀。

这是因为：白菜的半透膜一开始只让水分子通过，但当白菜在盐水中浸泡很长时间后，半透膜就失去了它的功能；随着白菜的半透膜出现问题，盐水中的钠离子就会渗进白菜，从而使白菜带有咸味。

泡菜的鼻祖是韩国泡菜

盐渍蔬菜后，蔬菜就会失去水分，而丢失水分的蔬菜则会泡在盐水里（浸渍），或是沉到底部（沉淀）。古时候就把这种现象称为沉菜（QINCHI），这应该就是泡菜（KIMCHI）一词的由来。

事实上，不仅是韩国，中国和日本等国家也食用盐渍的蔬菜。之所以说韩国是泡菜的鼻祖，原因就在于佐料。韩国泡菜和其他国家泡菜的最大区别就在于佐料部分，韩国泡菜一般都会添加辣椒粉、大蒜等佐料。

大约从17世纪开始，韩国人就开始吃拌辣椒粉的泡菜了。辣椒属于外来植物，17世纪时才开始在韩国全面普及，并很快就被人们用来和盐渍蔬菜搅拌，最终成为了今天的韩国泡菜。而当时其他国家却没有想过要用辣椒来搅拌盐渍蔬菜，因此这里才说韩国泡菜是泡菜的鼻祖。

乳酸菌让泡菜有了它独特的风味

泡菜是一种在适当的温度下让乳酸菌增殖的发酵食品，在腌白菜或者腌萝卜里加入辣椒粉、大蒜、腌鱼等佐料后搅拌而成。虽说刚做好的泡菜也很好吃，但腌熟后才更加可口。

在腌熟泡菜的过程中，乳酸菌的作用是最重要的。盐渍时，白菜里的大部分细菌都会死亡，但对盐分比较耐受的乳酸菌却可以顽强地存活下来，完成腌熟白菜的任务。此外，乳酸菌还可以清洁肠胃、抑制对身体有害的细菌繁殖和移动。

人类的大肠内也有乳酸菌，就算在低温无氧的环境里它也可以持续增殖。因此在腌熟白菜的时候，应该先细心地按压白菜，除掉白菜

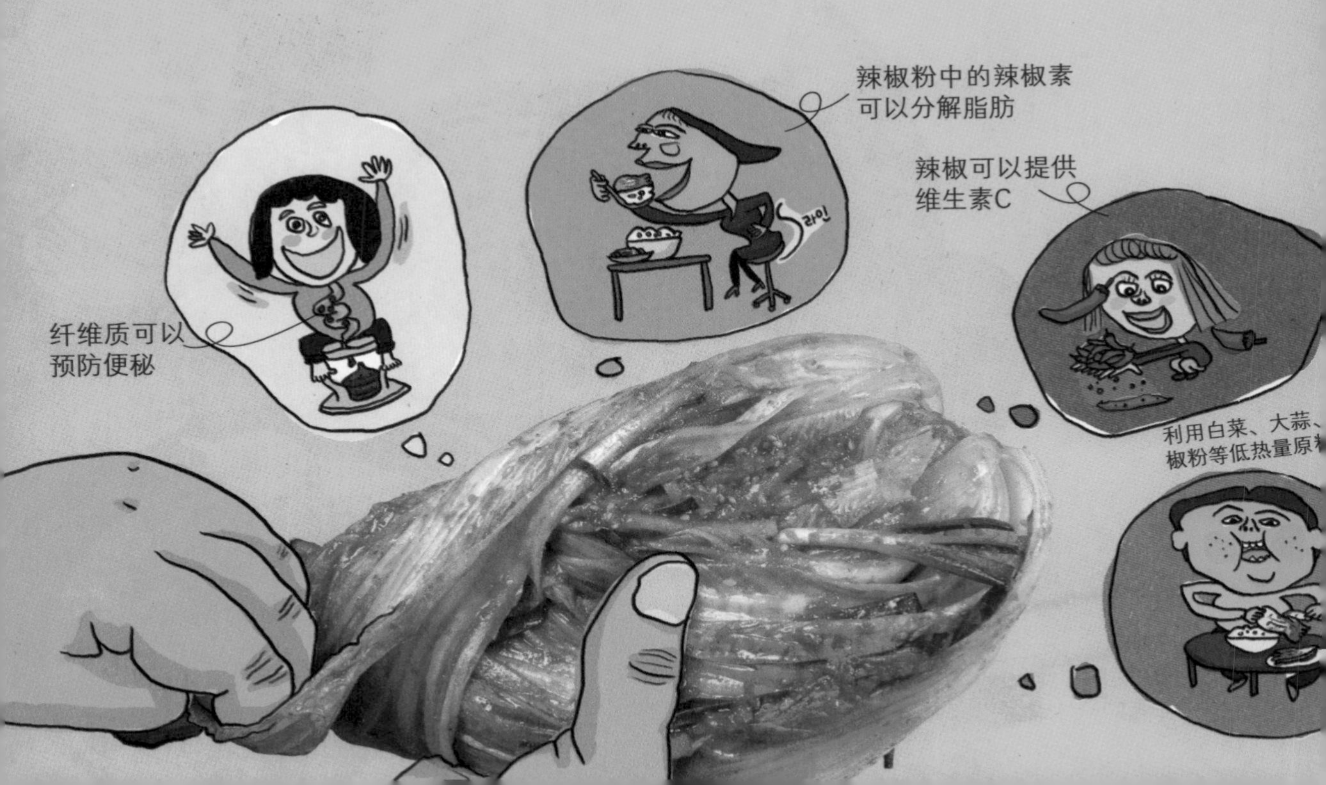

和白菜之间的空气，盖好后再在5℃的环境下静置10天以上。这样一来，普通的细菌就全都死翘翘了，而乳酸菌却可以大量增殖。像这样对我们身体有益的细菌大量增殖的现象就称为“发酵”。

乳酸菌可以分解泡菜佐料中的原料，生成乳酸、醋酸等物质。这些物质和佐料结合后，就可以让泡菜产生它独特的风味。

泡菜是低热量的营养食品

盐渍白菜时，我们要添加大蒜、腌鱼类等多种佐料。等白菜腌熟后，腌鱼里的蛋白质就分解成了氨基酸，而氨基酸不仅可以让泡菜味道变浓，同时它也是我们人体内所需的酶的原料。此外，白菜、萝卜等蔬菜不仅富含钙、铁等无机物质，还含有丰富的纤维质，可以有效防治便秘症状。

泡菜的佐料中，辣椒粉是必不可少的。泡菜之所以会有辣味，正是因为辣椒中含有的辣椒素——它还可以分解体内的脂肪。这是因为辣椒素在分解时，需要燃烧脂肪来获得能量的缘故。因此，添加辣椒粉的泡菜是不是也可以称之为减肥食品呢?

另外，辣椒中还富含维生素A和维生素C。其中，维生素C的含量是苹果的20倍、橘子的2倍之多。

不仅泡菜的主原料白菜是富含维生素的低热量食品，连用做佐料的大蒜和辣椒粉等也属于富含维生素、热量较低的食品，因此，泡菜绝对可以说是健康食品了。

油腐醋饭里酸酸的食醋

又酸又甜、非常好吃的油腐醋饭！当我们吃油腐醋饭或者拌菜时，让它们变得可口的酸味正是醋带给我们的。下面，就让我们走进深受人们喜爱的健康食品——醋的世界里吧！

酸酸甜甜的油腐醋饭

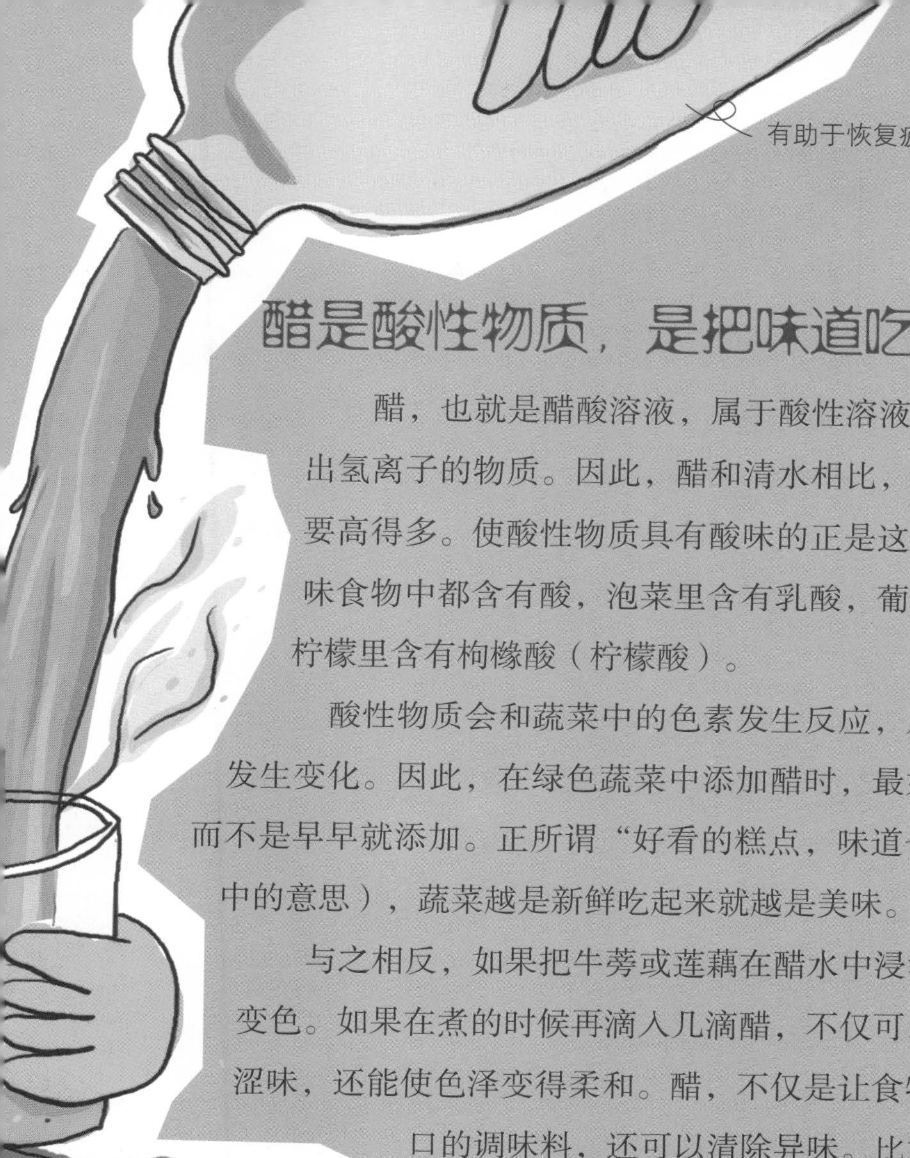

有助于恢复疲劳的醋水

醋是酸性物质，是把味道吃掉的“河马”

醋，也就是醋酸溶液，属于酸性溶液。酸是指在水中排出氢离子的物质。因此，醋和清水相比，前者氢离子的含量要高得多。使酸性物质具有酸味的正是这氢离子。大部分酸味食物中都含有酸，泡菜里含有乳酸，葡萄中含有葡萄酸，柠檬里含有枸橼酸（柠檬酸）。

酸性物质会和蔬菜中的色素发生反应，从而使蔬菜的绿色发生变化。因此，在绿色蔬菜中添加醋时，最好在临食前使用，而不是早早就添加。正所谓“好看的糕点，味道也很好”（秀外慧中的意思），蔬菜越是新鲜吃起来就越是美味。

与之相反，如果把牛蒡或莲藕在醋水中浸泡，反而可以避免变色。如果在煮的时候再滴入几滴醋，不仅可以有效去除它们的涩味，还能使色泽变得柔和。醋，不仅是让食物变得更加美味可口的调味料，还可以清除异味。比如，清除鱼腥味时就可以选择醋。

鱼腥味的罪魁祸首是鱼的体内含有的碱性物质三甲胺。不过在做鱼时，只要洒上少量的醋或柠檬汁即可清除这种味道。醋和柠檬汁中含有的酸性物质会和散发鱼腥味的碱性物质发生中和反

添加醋和食糖后搅拌的米饭

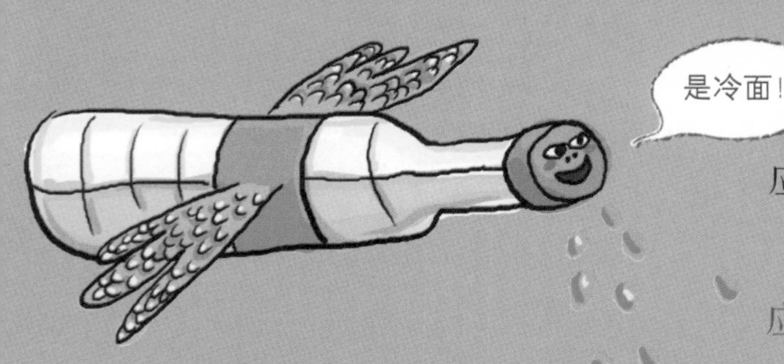

▲醋可以杀菌，或是抑制细菌的活动。

应，从而达到清除异味的目的。

中和反应是指酸和碱发生的反应，这一反应会导致酸和碱失去各自的性质。因此，发生中和反应后发出异味的物质就会消失无踪。醋不仅可以用来清除鱼腥味，还可以用来清除切菜板和菜刀上的洋葱味，也可以清除陈米的异味。

醋是杀菌剂

除了上面提到的，醋中含有的酸性物质还具有杀菌能力。因此，在食物中洒入少量的醋还可以让组成细菌的蛋白质变质，从而起到杀菌或抑制其活动的作用。想要长时间保存食物时先用醋腌也是这个原因。

代表性的例子就是油腐醋饭中加入醋，可以避免米饭变质。不过，加入醋后并不是完全杀死了细菌，只是让细菌的增殖速度变缓，从而使米饭的香味可以维持较长时间。

吃比萨或者意大利面时，我们还会吃腌黄瓜、腌蒜等醋腌食品。和油腐醋饭相比，这些食品的保存时间可以更长久。这是因为黄瓜和大蒜被完全浸泡在醋里面，因此细菌几乎不能增殖。

在炎热的夏季，冷面是很多人的最爱。

大蒜或洋葱经过醋腌►后即可长时间储存。

可你知道吗，冷面也是要加醋的。这不光是为了调出冷面的酸味，也是为了清除夏季煮面时面汤或肉汁里可能存在的大肠杆菌。

另外，醋的酸味还可以缓和咸味，也可以代替咸味。因此，如果在食物中添加醋，就算不加盐也会让人觉得味道适中。

水果醋

醋可以守护我们的健康

大约在一万年前，醋就开始发挥它作为健康食品的作用。据高句丽时期的医学书籍《乡药救急方》记载，醋在当时就被广泛用做药。

醋之所以会成为健康的守护天使，是因为醋中的有机酸。以水果和谷物为原料制作的酿造醋中含有多种维生素和醋酸、枸橼酸等有机酸。

枸橼酸是我们的身体在生成能量的过程中产生的中间物质，具有促进能量再生成的作用。因此，和饮用碳水化合物相比，饮用含有枸橼酸的醋或者饮料，能

量会生成得更快。

如果我们的身体生成能量的话，就会促进血液循环。这样一来，对肌肉的供氧就更加丰富，而肌肉中沉积的疲劳物质乳酸就会被分解。因此，在很多恢复疲劳的饮料中都含有枸橼酸。

此外，我们还可以利用醋来美容。这是因为醋可以使皮肤角质脱落。但是，若把没有稀释过的醋直接涂抹在皮肤上是非常危险的。这不仅会使皮肤严重脱皮，醋接触到脱皮后的皮肤可能还会出现更严重的后果。

偶然从酒精变化而来的醋

醋是我们人类最早的调味料。据记载，公元前5000年的时候醋就已经被用做调料了。被称为“医学之父”的希波克拉底也曾经把醋用于医疗。

在朝鲜时代，醋被称为苦酒，即味道苦涩的酒。

那么，当时为什么把醋称为酒呢？这是因为，醋是酒发酵而成的。酒含有酒精成分，而酒精在被醋酸菌发酵时会生成带有酸味的酸性物质。这个酸性物质就是醋酸，而醋就是用水稀释后的醋酸，稀释至人们可以食用程度的溶液。我们食用的大部分醋都可以说是3%左右的醋酸溶液。

如上所述，把酒精发酵后就可以得到醋，而酒精是用水果或谷物制成的。发酵后生成的醋被称为酿造醋，不仅含有醋酸，还含有枸橼酸和葡萄酸；既可以满足人们的味觉，又可以补充身体的营养物质。

在当今社会里，我们可以运用先进的化学技术合成乙醇和醋酸，还可以再添加适量的水稀释，制作出化学醋。

◀ 洒在切菜板、抹布、洗碗布等物品上，可以起到杀菌的作用。

▶ 可以清除银制或铜制容器上的锈迹；皮革或席子上的污垢。

◀ 插花时若滴入几滴醋，可以让花朵长时间保持新鲜。

▶ 鱼刺卡在喉咙时，用醋水反复漱口即可让鱼刺变得柔软，从而滑入腹中。

▶ 把醋水倒入散发恶臭的排水道口内，即可消除恶臭。

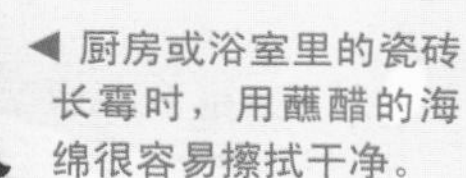

◀ 厨房或浴室里的瓷砖长霉时，用蘸醋的海绵很容易擦拭干净。

生命之盐

盐，真是一种奇妙的物质，它神秘莫测，却又遍布全球。据统计，覆盖地球表面70%的海水里，盐的含量达到3%。事实上，咸味的代名词——盐几乎是地球上所有动物不可或缺的物质。那么，为什么盐会如此重要呢？

盐是如何获得的?

由于古代生产技术不发达，盐的产量很低，为了获得一点盐，人类要付出艰辛的努力和高昂的费用，于是，在古代盐曾珍贵地被称为“黄土地上的白金”。正因如此，盐一度被人们当做货币流通，地位极其尊崇。

而事实上，地球上盐并不稀少，至少，在海水之中大量存在着氯化钠（盐的化学名称）。海水之中虽然也存在着大量名为氯化镁之类的无机盐，但是含量最高的还是氯化钠。因此把海水蒸发后，人们就可以获得许多盐。据统计，比较大的海和湖泊中，每升海水或湖水里平均约含盐30克。

然而盐并非海洋和湖泊的专利，盐也可以在陆地获得，至少在盐矿里就可以。就像从矿山里开采石油、黄金、铁矿石一样，我们也可以在盐矿下面挖出大量的盐。

我们吃的食盐，获得的途径主要有三种：从盐矿开采盐块并将之粉碎，或溶化盐石并蒸发获得，或蒸发盐田里的海水后获得。

在实验室里也可以制造盐。盐酸和氢氧化钠反应后就会产生氯化钠。盐酸是强酸，氢氧化钠是强碱，两种物质都对生物有致命的毒性。

但是，当这两种有毒物质碰到一起的时候，却能变成一种维持生命的必备品。这就是自然科学的神秘之处，有毒物质竟然变成了生命物质！大自然真是太神奇了！

盐水能传导电流

白色小颗粒形态的盐是钠离子（Na^+）和氯离子（Cl^-）轮流堆积而成的氯化钠（NaCl）结晶。

氯化钠结晶很容易粉碎。只需用拇指和食指微微用力一捏，盐就会被碾成细末。氯化钠之所以这么容易被粉碎，是因为氯化钠晶体里的钠离子层和氯离子层互相错开并产生了离子间的推力。

大家用火烧过盐吗？感兴趣的朋友不妨试一下，盐是不易燃烧的。这是因为氯化钠中的钠离子和氯离子不能与空气中的氧结合，而我们都知道，任何物体想要燃烧，前提条件是必须要和氧结合。

那么持续地给盐加热会产生什么样的后果呢？一般的高温是无法熔化盐的，要想把固态盐熔化为液态盐，至少需要800摄氏度的高温。化学里有个专业词汇叫熔点，指的是把某一物质从固态转化为液态所需要的温度，从这里，我们又学到了一个知识，那就是：盐的熔点是800摄氏度。

那么，现在就做一个智力竞猜吧！盐能导电吗?

答案可没有那么简单，因为答案有两种：固态的盐块不导电，但是盐水是可以导电的。

盐，即氯化钠处于固态时，其中钠离子和氯离子一动也不能动。但是如果把氯化钠放入水中，氯化钠晶体中的钠离子和氯离子就会毫无牵挂地分开，离子的运动就变得自由自在了。在水里自由移动的钠离子和氯离子分解为阳离子和阴离子，于是，普通的盐水就能导电了。

好，总结一下，我们又学了一个新词汇，像盐一样在水中分解为阳离子和阴离子，使溶液导电的物质叫做电解质。

盐能调节体内的渗透压

盐是我们的身体所必需的物质。盐的成分之一钠离子以一定的浓度存在于我们体内，起着调节体液渗透压的作用。因此当人们活动身体或运动出汗的时候，一定要记得喝盐水，只有这样才能补充从汗水中排出去的钠离子。有的朋友对此缺乏必要的重视，这类朋友必须要知道，如果一个人体内缺乏钠离子，那么体液的渗透压就得不到调节，严重的时候还会引发肌肉痉挛。

地球上所有的生物，不管是植物还是动物，其体内都含有盐分。因此人们吃到的食物当中，很难找到不含盐的。尤其是肉类含盐量相对更高。大家看到过牛或猪舔墙吗？动物的这种行为其实是为了补充身体所需的盐，瞧，这就是动物寻找身体所需的化学物质的惊人本能。

如果流了很多汗，那就多吃盐

虽然存在个体差异，但大致上所有人都是喜欢咸味的。这可能是因为盐是人体必需的物质的缘故。但要知道过犹不及，就算是对人体有益的东西，也切记不能摄取过量。如果过量摄取盐分，体内的体液平衡就会受到破坏，从而影响健康。

那么，我们应该吃多少盐呢？一般来说，成人每天需要吃6～8g的盐。如果是出汗较多的夏季或是因为剧烈运动流了很多汗，那么这个量就上升为10g左右。

据说在以素食为主的印度，很多人都患有缺盐症。蔬菜里富含钾离子，而钾离子会排出我们体内的钠离子。虽然钾也可以像钠一样调节体液的渗透压，但它们之间却是互斥的。因此，如果只吃富含钾的蔬菜，体内就会缺钠，所以切忌偏食。

吃了还想吃的甜食

食糖

又甜又脆的硬糖、越嚼越想嚼的奶糖、圆圆的南瓜口味麦芽糖，它们都是甜味的食品。但不管怎么说，甜味的代名词还是食糖。自古以来，食糖和盐就都是人们喜爱的调味香料。那么接下来，就让我们走进食糖的甜味里吧！

奶糖

血液中也含有糖类

你应该听说过碳水化合物吧？碳水化合物的意思就是碳和氢结合形成的物质。在碳水化合物中，食糖溶于水后具有甜味，分为葡萄糖、果糖、蔗糖等多个种类。

葡萄糖主要含于甜味的水果中，它的甜味约是食糖的0.6倍，也就是说它没有食糖那么甜。但让人惊讶的是，人类的血液中竟然也含有葡萄糖。

当我们吃米饭和面包等碳水化合物的时候，碳水化合物会在我们身体内分解，成为葡萄糖。此时生成的葡萄糖会储存在血液或者肝脏里，需要时可以转化为生成能量的燃料。换句话说，葡萄糖是维持人类生命能量的重要原料。

血液中含有的葡萄糖被称为血糖，血糖浓度是判断人体健康状态的重要指标。

在正常情况下，人类的血糖浓度应该保持一定的水平。我们的体内有着长度约为15cm的器官，也就是胰腺。当血糖值上升时，胰腺会分泌出有调节血糖作用的胰岛素，而胰岛素可以把血液中的葡萄糖移到身体的各个部位，让葡萄糖被用做生成能量的燃料，从而降低血糖值，让血糖浓度保持一定的水平。

另外，我们身体内多余的糖分会转化为糖原储存在肝脏，当体内血糖不足时再被分解利用。

果糖就像它的名字一样，主要在水果里。在天然食品中，

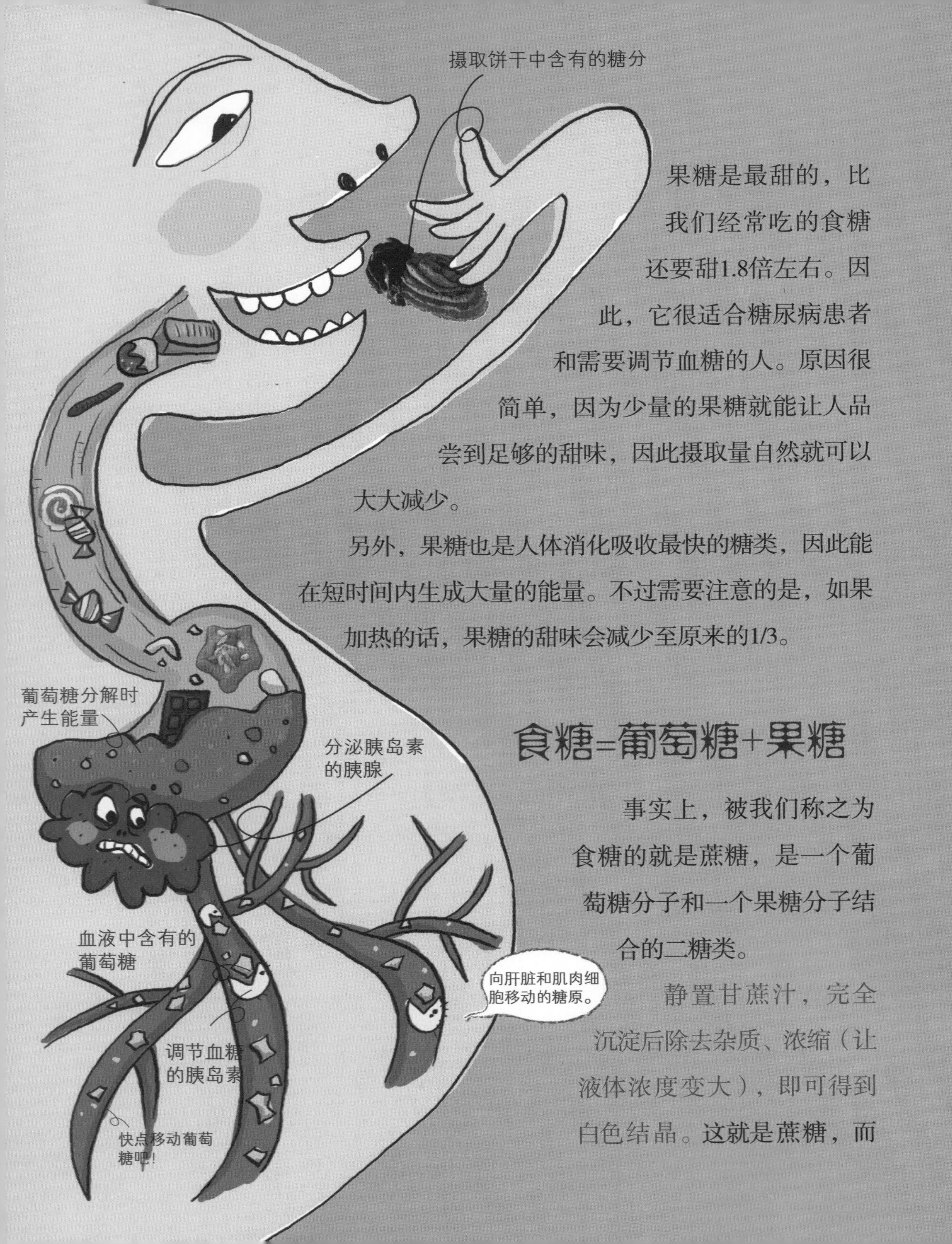

果糖是最甜的，比我们经常吃的食糖还要甜1.8倍左右。因此，它很适合糖尿病患者和需要调节血糖的人。原因很简单，因为少量的果糖就能让人品尝到足够的甜味，因此摄取量自然就可以大大减少。

另外，果糖也是人体消化吸收最快的糖类，因此能在短时间内生成大量的能量。不过需要注意的是，如果加热的话，果糖的甜味会减少至原来的1/3。

食糖=葡萄糖+果糖

事实上，被我们称之为食糖的就是蔗糖，是一个葡萄糖分子和一个果糖分子结合的二糖类。

静置甘蔗汁，完全沉淀后除去杂质、浓缩（让液体浓度变大），即可得到白色结晶。这就是蔗糖，而精制（去除物质中含有的杂质）蔗糖后得到的就是食糖。甘蔗汁中约含有15%的蔗糖，此外蜜蜂的食粮（花粉）中也含有蔗糖。

蜜蜂吃掉蔗糖后，就会和体内的酶混合、分解，生成蜂蜜，然后再吐出来。也就是说，蜜蜂吐出来的不再是蔗糖，而是葡萄糖和果糖。因此，蜂蜜中主含葡萄糖和果糖，而几乎没有蔗糖。

食糖的消费是文明的尺度

食糖，即蔗糖分子会在人体内分解为葡萄糖和果糖，而果糖又会被转化为葡萄糖。最终，人体会通过葡萄糖的分解获得所需的能量。1g食糖约能产生4卡路里的能量。

适当摄取糖分时，可以被大脑运动有效利用。非常疲劳时摄取食糖，血液就可以补充糖分，而这又会成为能量源，从而恢复元气。

要减肥，那吃什么水果好呢？

如果想要用水果来减肥，应该选择热量低、血糖生成指数低、富含纤维素的水果。血糖生成指数（GI：Glycemic Index）就是指食物能够引起人体血糖升高多少的能力。水果中一般都富含果糖，而果糖不仅吸收快，而且很容易转化为脂肪。因此，肥胖症患者、糖尿病患者和想要减肥的人在选择水果时应事先了解水果的血糖生成指数。

▶葡萄：热量较高，尤其是巨峰葡萄的热量为普通葡萄的三倍。

▶猕猴桃：每颗猕猴桃只含30大卡的热量，而且血糖生成指数也较低，不易变胖。此外它富含维生素和纤维质，有助于防止便秘。

◀西红柿：一颗拳头大小的西红柿或30颗樱桃西红柿含有的热量还不足40大卡，因此减肥时也可尽情食用。

▶香蕉：血糖生成指数和热量都较高，是糖尿病患者提高血糖值时喜欢选择的水果。

◀西瓜：血糖生成指数较高，吸收也快，因此容易让人感到饥饿，减肥时也应忌吃。

▶梨：富含纤维质，因此在出现便秘症状时食梨汁，有助于缓解症状。

▶香瓜：虽然所含的热量不高，但血糖生成指数高，因此最好忌吃香瓜，尤其是在减肥的时候。

▶橘子：橘子属于让人增肥的水果，一个中等大小的橘子含有的热量相当于3根大黄瓜。

不过在正常情况下，人体从糖分中获得的能量不能超过每天摄取的能量的10%。

那若是超过了这个比例，会有什么后果呢？大部分葡萄糖会被用于生成能量，而剩余的葡萄糖则会转化为糖原储存在肝脏或肌肉细胞中，等血糖不足时再被分解。

食糖含有的营养成分只有糖，它并不含有其他的营养元素。因此，它不用经过消化，即可迅速被人体吸收。这样的话，血糖值肯定会剧增吧？前文说过，当血糖值突然增加时，我们的身体就会分泌大量胰岛素，从而降低血糖值，剩余的糖则会转化为糖原储存起来。

◀如果食糖没有完全分解，人体内就会堆积乳酸，从而感到疲劳。

此时，血糖值又会急剧降低，出现低血糖现象，人体就会对糖分产生需求，从而又开始吃含糖的食品。你应该也猜到了，这么一来胰腺就又开始分泌胰岛素了。

如果一直重复这种现象，胰腺最终会因“劳累过度”而无法发挥自己应有的功能，即不能控制血糖值。当我们体内的血糖值无法维持一定的比例时，糖尿病就随之而来了。

正确食用水果

▶不要在饭后立即吃。

若是在饭后立即吃水果，水果会和米饭同时消化，提高血糖生成指数（GI），容易转化为脂肪。因此，若餐后仍感到饥饿，应该选择血糖生成指数较低的水果，这样不仅可以忘记腹中饥饿，还能预防过食。

◀最好是在早上吃。

如果晚上吃含糖较高的水果，很容易变胖。

▶吃新鲜水果，而不是经过加工的。

罐头、干果、果汁等加工食品不仅热量高，而且营养元素也遭到了破坏。因此，吃水果时应该选择新鲜水果。

前文已经说过，分解后剩余的糖分会转化为糖原储存起来。但若是过量摄取糖分，转化为糖原后剩余的糖则可能转化为中性脂肪。如果中性脂肪过多，就会出现肥胖等症状。纵观历史，人类的饮食习惯逐渐变成了多吃食糖。因此，食糖的消费还被称为文明的尺度。换句话说，现在有很多人都生活在易变胖的环境里。所以，你要尽快改变过量食用甜食的饮食习惯。

土里面长出来的“牛肉”

圆圆的黄豆

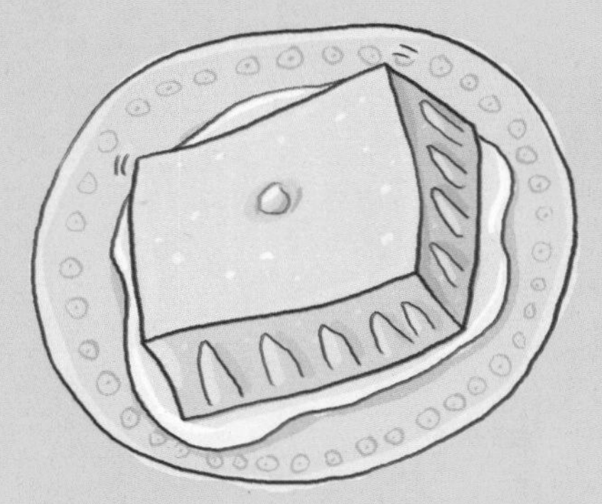

豆的种类非常多，如黑色的黑青豆、草绿色的豌豆、红色的芸豆、黄色的大豆等。此外，它的用途和食用方法也和种类一样多。一提到豆制品，我们马上就能想到的当然是豆腐了。那么，你知道豆腐是怎么做成的吗？

芸豆

大豆

豌豆

黑青豆

不仅形状多种多样，还富含营养元素的豆

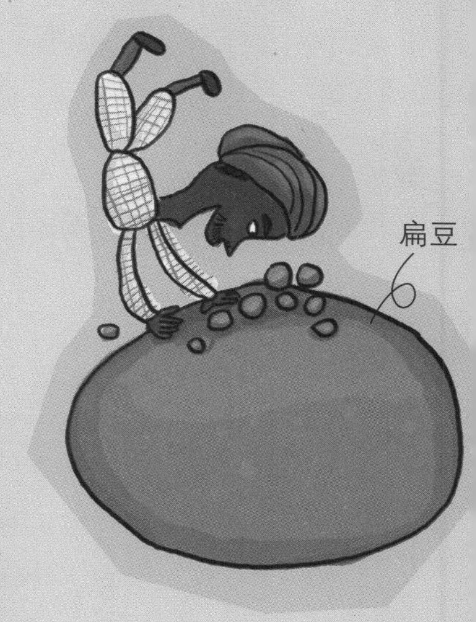

一些豆类的名称是很有趣的，如药用的药豆等。此外，有一种豆类因为太小而被称为老鼠豆（鹿藿）。另外还有六月成熟的六月豆、降霜时成熟的黑青豆等。

全球比较有名的豆类有豌豆、芸豆、印度小扁豆和日本大豆等。其中，草绿色的豌豆不用剥去豆荚即可食用，用做零食也很不错。豌豆中富含碳水化合物、氨基酸、铁、钙等成分，豆荚里也富含胡萝卜素和维生素C，因此很多人才不会剥去豆荚。

提起豌豆，就不得不提起孟德尔的遗传学。孟德尔原本是奥地利的修道士，曾在修道院栽培豌豆，并以此为实验材料研究遗传学。

芸豆长得很像我们体内的肾脏，它富含维生素B群，而维生素B群是改善碳水化合物代谢的营养元素。因此，科学家们才会把芸豆推荐给以米饭为主食的韩国人。芸豆不仅碳水化合物含量较高，而且性味较为平淡，因此主要用于制作饼干和糕点。

扁豆栽培范围最广的国家是印度，而且它还是当地人们自古以来就喜爱的豆类，就连《圣经》上也有它的记录。据说印度人在吃面包和米饭时也会和扁豆搭配，每天至少吃两次扁豆。扁豆中富含蛋白质、纤维质和维生素B，和韩国的泡菜、日本的大豆、西班牙的橄榄油、希腊的酸

奶一起被美国健康专业月刊《健康》评选为世界五大健康食品。

营养百分百的黄豆

黄豆是世界上消费最广的植物。它富含碳水化合物、蛋白质和无机物质，还被称为“穷人的肉食”。根据世界标准，儿童每天应该摄取的蛋白质含量为50 ~ 75g，成人为45 ~ 70g。如果想要摄取足够的蛋白质，我们就需要食用280g鱼类或540g鸡蛋或2300g牛奶。但是如果我们选择豆粉的话，只需140g就能摄取足够的蛋白质了。

蛋白质在黄豆里的含量为40%，而且其中有丰富的必需氨基酸（人体内无法合成，必须从食物中补充的氨基酸）。

另外，黄豆中含有的脂肪里大部分都是人体必需的不饱和脂肪酸。其中，亚麻酸的作用是除去胆固醇。胆固醇可以生成、维持激素和神经元，

因此胆固醇也是人体必需的成分，但只要有少量就可以了。人体中，尤其是血管里的胆固醇含量过高，可能会引起心脏病、动脉硬化等疾病。因此，摄取胆固醇时应适量，并经常食用可以除去胆固醇的食物。

最后，黄豆中还富含维生素E。因此，它可以让皮肤变得更加美丽，恢复皮肤健康，防止皮肤老化。怎么样？豆是不是万能手呢？

黄豆的蛋白质结合在一起后变成豆腐

用黄豆制成的食物中，我们最为熟悉的就是豆腐了。在黄豆中添加适量的清水研磨，即可得到豆浆。再把盐卤（充满湿气的盐流下来的又咸又苦的液体）倒进豆浆，让黄豆的蛋白质互相凝结、沉淀。在水溶液状态下会形成阴离子和阳离子的物质被称为电解质，而盐卤正是电解质

溶液。盐卤中含有的阴离子和阳离子会让豆浆里的蛋白质分子互相凝结，做出嫩豆腐；如果再除去嫩豆腐里的水分，挤压成形，即可得到我们经常吃的豆腐。

食糖水和盐水是透明的，但豆浆却是不透明的。这是因为，溶解的粒子有大有小的缘故。

食糖分子的直径小于百万分之一厘米，因此用滤纸过滤食糖水时，食糖分子也可以直接通过滤纸。而盐水中的氯离子和钠离子的大小甚至是千万分之一厘米。

与之相反，豆浆中含有的蛋白质分子的直径达到了百万分之一到十万分之一厘米。在化学中，这么大的粒子统称为胶体，胶体溶解的溶液则被称为胶体溶液。牛奶或淀粉的水溶液、豆浆等都属于胶体溶液，都不透明。

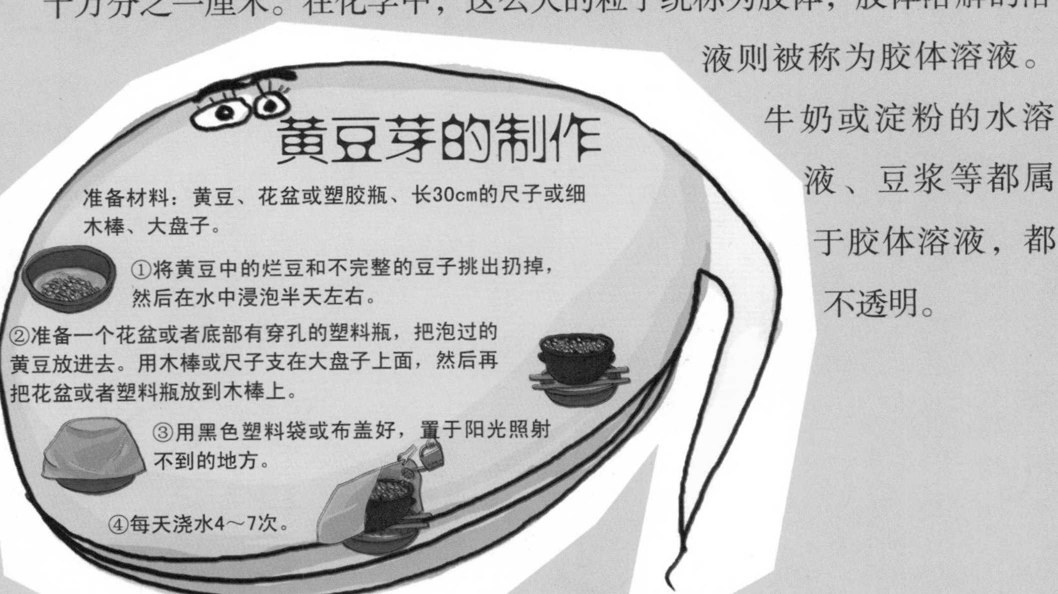

通过胶体的盐析而制成的嫩豆腐

泡大豆

用磨盘磨泡过的大豆

豆浆中含有的蛋白质粒子是带有正电荷的胶体粒子，被数量众多的水分子围绕着。这些胶体粒子带有同性质的电荷，因此在溶液中互相排斥，成分散状。

但是，如果加入盐卤的话，盐卤中的电解质离子会代替围绕蛋白质分子的水分子，甚而抢走胶体的电荷。这是盐卤的电解质离子和胶体粒子带有的电荷相反的缘故。胶体粒子失去电荷后就不会再互相排斥，而是凝结、沉淀，这就是嫩豆腐。而这种现象就被称为胶体的盐析。

盐卤是用海水制盐后剩余的溶液，富含镁离子和氯离子。当然，我们也可以在家里制作简易的盐卤。用石头或者木棒撑着盐袋，然后用容器接住掉下来的水即成简易的盐卤了。按照盐卤的种类和浓度不同，豆腐的味道也会不一样。

除去嫩豆腐的水分，挤压成形

新鲜味美的蔬菜

你有没有见到过，吃咖喱饭的时候把胡萝卜挑出来的朋友？虽然这并不是绝对的，但现实中的确有很多人不喜欢吃胡萝卜等蔬菜。但是，我们不可能总不吃蔬菜。那么接下来，就让我们看看为什么要吃蔬菜的原因吧。

蔬菜和水果是不同的

蔬菜是什么？是不是觉得很难解释？明明以为很了解蔬菜，可是想介绍的时候却又说不上来。事实上，蔬菜是指人们栽培的一年生草本植物。那么，山野上长的那些野生菜就不能算做蔬菜了？对，它们被称为野菜。

我们可以食用植物的多种部位，比如红薯和胡萝卜的根部、土豆和芋头的根茎、白菜和菠菜的叶子、刺嫩芽和竹笋的茎等。

西瓜和草莓又属于什么呢？从园艺学角度来说，它们也属于蔬菜。因为，它们也是人类栽培的一年生草本植物的果实。

那么，水果和蔬菜究竟是怎么区分的呢？蔬菜是一年生草本植物，而水果则是多年生草本或木本植物的果实。苹果、梨、香蕉、菠萝等都是木本或草本植物的果实，属于水果。不过，西瓜、草莓、西红柿、香瓜等果实类蔬菜不仅含有丰富的果肉和果汁，而且又甜又香，因此有时也会归类于水果。

转化为纤维质和淀粉后储存的葡萄糖

植物可以用二氧化碳、水和太阳光生成葡萄糖分子，这个过程被称为植物的光合作用。光合作用生成的葡萄糖会移动到根部或茎部，转化为淀粉或纤维质后储存起来。

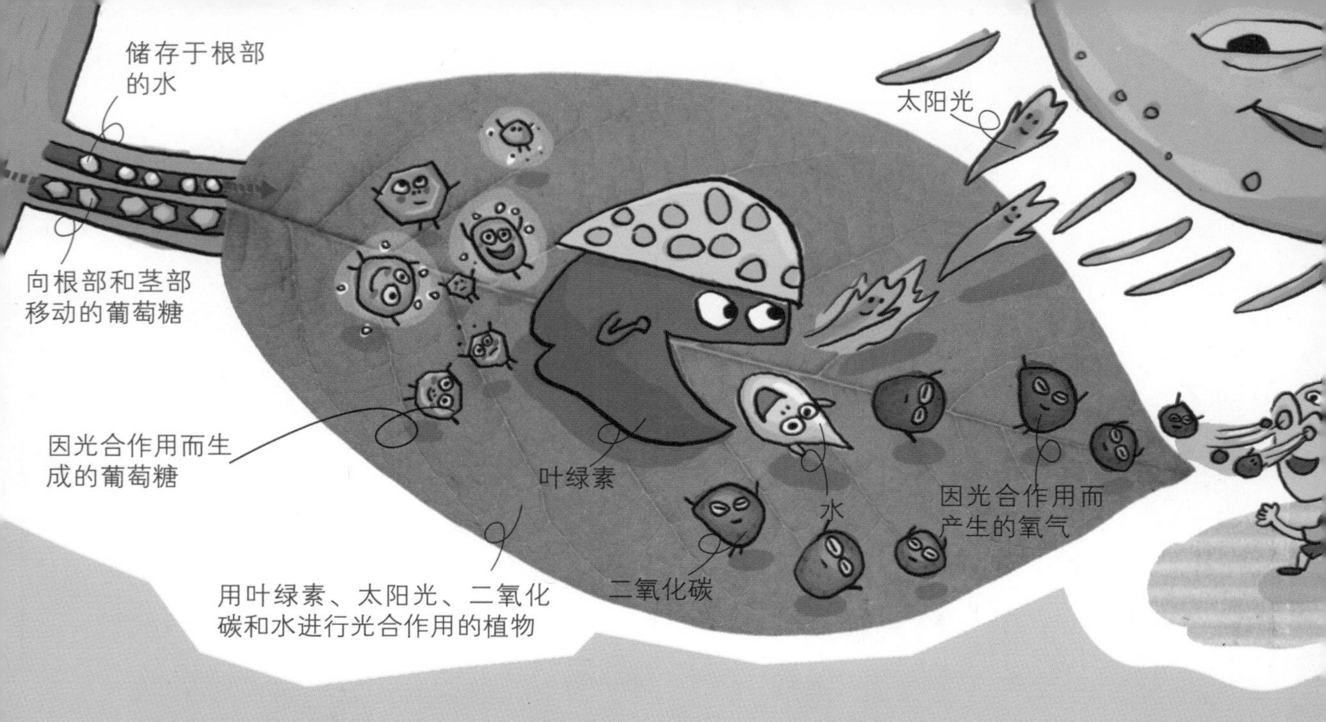

纤维质和淀粉都是由葡萄糖分子组成的，只是葡萄糖分子的种类不同而已。葡萄糖分子分为α葡萄糖和β葡萄糖两种。纤维素由数千个β葡萄糖分子结合而成，而淀粉则是数千个α葡萄糖分子结合而成的。

α葡萄糖和β葡萄糖的分子形状是相同的，只是羟基的位置相反。虽然它们的区别如此之小，但由β葡萄糖形成的纤维素不能被人体消化，而由α葡萄糖形成的淀粉却可以被人体消化吸收。

据研究，植物生成的纤维素比植物生成的淀粉多10倍。也就是说，地球上纤维素比淀粉要多。但是，因为纤维素无法被人体吸收，因此它不能够用做人类的食粮。只有白蚂蚁等草食动物才可以在酶或微生物的帮助下消化纤维素。

有清肠作用的纤维素

虽然纤维素无法被人体消化，但这并不能就说明它一无是处。这是因为纤维素在人体内还发挥着重要作用，被人们称为第六营养素。

由于纤维素无法被人体所吸收，因此无论吃多少也不会产生热量。只是它在体内停留的时间较长，因此会给人饱满的感觉。也就是说，会让我们觉得饱饱的。因此，不宜摄取过多热量的患者和需要减肥的人就可以选择既不会产生热量，又能产生饱满感的纤维素。

你听说过“植物纤维”吗？植物纤维也可以说是纤维素的别称。最近我们经常能见到植物纤维饮料或者含有植物纤维的产品。它利用的正是纤维素不会被消化，而且在经过肠道时能起到清肠作用，增加排便量，从而防止便秘症状的特性。

我们在吃烤肉的时候经常会用蔬菜包着吃，其实这种饮食习惯中也隐藏着化学原理。

肉类食品富含钠，因此就算不加盐它也会有咸味。然而，如果人体内血液中的钠含量过高的话，很容易引起心脏和血管的病变。因此，我

们在吃肉时才会和蔬菜搭配，蔬菜中含有的钾可以将钠排出体外。所以，就算你很喜欢吃肉，你也不能只吃肉不吃蔬菜。应该同时吃富含钾的蔬菜，从而保持健康的身体。

另外，蔬菜中还富含其他无机物质。尤其是蔬菜中含有的钙比牛奶中的钙更易被人体吸收。

绿色蔬菜的“植物化学物质”

β胡萝卜素是胡萝卜和南瓜中含有的黄色色素，可以消除氧自由基、防止老化、抑制癌细胞的生成。氧自由基非常不稳定，是人体的代谢产物，可以在人体内产生氧化作用破坏细胞，并引发多种疾病。

西红柿和草莓中含有的红色色素就是番茄红素，它也可以抑制氧自由基的氧化作用，预防肺癌。辣椒中含有的辣椒素是辣味之源，它可以促进新陈代谢，从而有效减少体内堆积的脂肪。

β胡萝卜素、辣椒素、番茄红素等都是植物为了应对外部环境和保护自己而分泌的化合物，它们被称为“植物化学物质”。一种绿色蔬菜中约含有一百多种植物化学物质，其中有很多种类是我们还不了解具体功效的，但仅仅是我们所了解的植物化学物质就已经有多种作用了。

类黄酮是植物中的黄色色素成分，可以在植物的表皮细胞中阻断紫外线，进入人体内以后则可以预防动脉硬化（动脉壁变厚、失去弹性并逐渐硬化的疾病）。此外，大蒜中含有的蒜素保护自己的方式是散发强烈的气味，而在人体内它可以预防癌症，减少血液中胆固醇的含量。

我们真的不能成为好朋友吗？
水和油
水分子
氢原子
104.5度
氧原子
沸腾的油
粘上炸衣的虾
仅表面变成蒸汽的水滴
溅上来的水滴

在做油炸类的料理时应格外小心，如果水滴进滚烫的油里面，不仅会发出惊人的声响，水滴还会溅出来。之所以会出现这种现象，是因为水和油互相不亲近的缘故。那么，水和油为什么不亲近呢？它们有什么区别？

水分子是极性分子，所以沸点较高

水分子究竟是怎么组成的？可以说，水的各种性质都是由水分子的结构决定的。一个氧原子和两个氢原子以104.5度的角度结合在一起，即V字型结构，组成了一个水分子。因为这种结构，水分子的正电荷与负电荷的中心不一致，而这种现象就被称为极性。

极性分子之间，互相吸引的力比较大，这和磁铁的异极相吸是同样的原理。

水也是极性物质，因此分子间的引力作用很强，这也导致了水的沸点高。在100℃时，水才会由液体变为气体。甲烷和氨的分子量和水差不多，但它们的沸点却比水低很多。因此在常温状态下，甲烷和氨是气态，而水则是液态。

水分子的极性可以说是守护我们生命的重要性质。碳水化合物和蛋白质是人体最重要的

能量源之一，而它们也是极性物质。因此，大米、肉类、蔬菜等食物在用水煮的时候，它们的营养成分会溶解到水里，而我们也才能轻易吸收这些营养成分。也就是说，人体里面的水可以溶解维持生命所必需的物质，营造出人体内可以产生化学反应的环境。

水的冰点和沸点

▶ 若是水中有杂质，那么就算在0℃以下时它也不会凝结成冰。杂质的量越多，水的冰点就越低。人们利用这个原理在冰雪上撒氯化钙，从而使冰雪融化掉。

◀ 加盐可以降低水的冰点。寒冷的冬季在屋外晾晒衣服时，为了避免衣服被冻，我们可以在最后冲洗时加入少量的盐，这样就可以避免衣服被冻了。

▶ 气压升高时，水的沸点就会变高。高压锅就是利用这种原理制成的。一般来说，高压锅的内部压力达到了外部压力的两倍，水的沸点变成了120℃以上，因此做米饭时大米也就更容易熟了。

油是非极性物质

谁都知道水和油不相溶，水滴进滚烫的油里后会溅出来也是这个原因。

要知道水是极性物质，油是非极性物质。因此，大豆油、橄榄油等物质里的分子是没有电荷的。

洗衣店里使用的苯、甲苯等也属于非极性物质，主要用于洗涤很难用水清洗的污垢和脂肪类物质。无法用水清洗的污垢中，大部分都是油性成分，它们只能被溶于非极性物质。

一般来说，亲水性物质不溶于油，亲油性物质不溶于水。不过，也有丙酮等既溶于水又溶于油的物质。

水滴进滚烫的油里以后，就会在不溶于油的状态下吸收油的热量。在瞬间吸收大量的热以后，水滴就会从表面开始气化，而这种变化是非常快的。因此，还没有等水滴全部变成蒸气，它就因水蒸气的压力而溅了出来。

从液体变成固体时，水的体积会增大

大部分物质从液体变成固体时体积会变小，但水却很特别，它从液体变成固体时体积反而会增大。

如果把倒满水的塑料瓶放进冷冻室冷冻后再拿出来，将会出现什么现象？冰将会溢出瓶外。这是因为，液态的水变成固态时体积增大了的缘故。

水冰冻后体积就会增大，因此有时还会发生非常麻烦的事情。比如在寒冷的冬天，倒满水的水缸或者水管有可能会被冻裂。牛肉和蔬菜冰冻时，随着细胞里面的水被冻，体积增大，细胞膜会受到破坏。而细胞膜被破坏后，牛肉和蔬菜的味道也大大不如冰冻前了。

如上所述，水变成冰时虽然质量不变，但体积会增大。这其实是因为，水从液态变成固态时水分子的排列会更加规律，从而在水分子之间会产生空间。正是因为这些空间，固态时的体积比液态时增加了10%左右。因为质量不变，体积增大，因此冰的密度会变得比水小。这也是冰可以浮在水上的原因。

水里面产生的中和反应

在水里面，经常会发生各种神奇的化学反应。酸和碱相遇后生成水和盐的中和反应就是其中的一种。

酸指的是在水中容易生成氢离子（H^+）的分子。而碱则和它相反，指的是在水中容易把氢离子抢过来的分子。氢离子是氢分子失去一个电子的形态，带有正电荷，是世界上最小的离子。

我们在厨房中经常能见到的酸性物质有醋、果汁等等。在生活中，酸性物质最突出的作用就是去除鱼腥味。鱼腥味的主要成分是三甲胺，是一种碱，因此加入含柠檬酸的柠檬汁的话，柠檬酸和三甲胺就会发生中和反应，从而起到去除鱼腥味的目的。

不过，我们吃的各种食物里面几乎不含有碱性物质。大部分碱都是苦味的，可能是这个原因让它无法成为受人们喜爱的食物吧。酸味可以增加人类的食欲，但苦味却没有这种效果。

如果在水中加入碱，碱会抢走水分子中的氢离子，因此水中会残留着羟基“HO^-”。含大量羟基的碱性溶液可以溶解粘在皮肤表面的蛋白质。因此，触摸时会让人觉得滑溜。这也是肥皂格外滑溜的原因。

我们可以利用不亲水的食用油，制作出亲水的肥皂。具体步骤如下：在用过的食用油里加入氢氧化钠，缓缓搅拌40分钟左右后倒进容器里使之硬化即可。

扇翅膀
的工蜂

和蜜蜂的消化
液混合的花蜜

综合营养剂 黏黏的、甜甜的蜂蜜

蜂蜜是维尼熊的最爱。勤劳的蜜蜂飞舞在无数花朵之间采集花蜜，然后在六角形的巨大蜂巢里酿成又黏又甜的蜂蜜。那么，蜜蜂究竟是怎么酿造蜂蜜的？蜂蜜中又有什么秘密？

为了生产1升的蜂蜜，蜜蜂要往返10万次

在蜂群中，只有工蜂才会勤劳地采集花蜜。工蜂会执著而有规律地将花蜜一滴一滴地吸入蜜囊，采满后再运回蜂巢。蜜囊的容量很小，一只蜜蜂想要运回1升花蜜，就要在花朵和蜂巢之间往返2万～10万次；而想要酿造1升蜂蜜，就需要运回5升花蜜，就要往返10万～50万次。由此可以看出，工蜂是多么勤劳！

蜜囊里的花蜜会和消化液混合，而工蜂回到蜂巢后就会把采集到的花蜜交给留守的工蜂们，再由留守的工蜂存进蜂巢或分给其他工蜂。这还没完，工蜂会反复吞吐蜂巢里的花蜜，以便浓缩花蜜。

花蜜由75%的水和25%的蔗糖组成。花蜜中的蔗糖会和工蜂的唾液与消化液中的酶发生反应，分解为葡萄糖和果糖，变得更甜，而水分则缩减为30%。此外，唾液腺分泌的类胆腺激素也会添加到其中。

之后，工蜂们会努力扇动翅膀，用干燥的暖风蒸发蜂蜜中含有的水分。蜂蜜中的水分降到20%以下后，工蜂会从它位于腹部的分泌腺生成蜂蜡，密封。到此，蜂蜜酿造完成。

蜂王浆是如何制成的?

蜂王浆是工蜂喂食幼虫时期，在口里的分泌腺生成的物质。刚出生的幼虫，要连续喂食蜂王浆3天，才能变为成虫。

大部分蜂蜜都是由糖分组成的，但蜂王浆却富含蛋白质、维生素等营养成分，因此主要被用做营养剂。此外，蜂蜜是甜味的，而蜂王浆还带有酸味和辣味。蜂后和将会成为蜂后的幼虫可以一直吃蜂王浆，而这样的蜂后不仅活得长，而且产的卵也多。

因渗透现象，细菌无法在蜂蜜中增殖

据说在古埃及，人们会把蜂蜜罐子也埋进王墓。还有一种说法是，蜜蜂纹样象征王权。这些都表明，蜂蜜在当时非常贵重，根本不是普通人可以染指的食物。

让人无比惊讶的是，在古埃及王墓发掘出来的蜂蜜竟然一直都没有变质。

那么，蜂蜜这么长时间都没有变质的原因是什么呢？这是因为蜂蜜是由70%以上的糖分和不足20%的水组成的浓溶液的缘故。

若是用玻璃纸隔开浓度不一的两种溶液，水会从浓度低的溶液移动到浓度高的溶液。比如用玻璃纸隔开浓度不同的糖水，你将会发现浓度低的糖水逐渐变少，而浓度高的糖水则逐渐增加。

这就说明水分子是从浓度低的溶液移动到了浓度高的溶液。

虽然肉眼看不到，但玻璃纸上有着无数的小孔供水分子通过，而蔗糖分子则因孔太小而无法通过玻璃纸，所以才会出现上述现象。这就是渗透现象。

那么，如果细菌进入像蜂蜜一样的浓溶液，会发生什么现象呢？不难想象，在细菌的细胞膜里侧和外侧将会发生渗透现象。即细胞膜内的水分会通过细胞膜移动到浓度高的蜂蜜里。这样一来，细菌自然就会死亡。

利用细菌无法在蜂蜜中增殖的原理，我们可以把人参、水果等放入蜂蜜中，从而实现长时间储存。

蜂蜜不仅好吃，作用也多种多样

蜂蜜中70%以上是葡萄糖和果糖，而它们都是可以被人体迅速吸收的营养成分。葡萄糖可以在小肠直接被人体吸收，是最佳的能量源。因此，过度疲劳或身体虚弱的人会输葡萄糖。

果糖非常甜，它也可以和葡萄糖一样迅速被人体消化，转化为能量。正因为蜂蜜中含有可以在小肠直接被吸收的葡萄糖和果糖，因此蜂蜜恢复疲劳的功效比其他任何食品都要强，尤其适于容易感到疲劳的考生和运动选手。

除了葡萄糖和果糖外，蜂蜜中还富含无机物质、维生素、氨基酸等营养元素，是出色的综合营养剂。尤其是蜂蜜中的钾成分，可以去除人体内的胆固醇和血管里的代谢产物。

此外，蜂蜜中还含有酶。酶是可以促进细胞内活体反应的蛋白质，它还参与到维

持生命所需的各种化学反应里。

简而言之，酶是所有生物维持生命所必需的物质。

但是，酶非常不耐热，因此若把蜂蜜和过热的水混合，酶就会被破坏掉。我们应该谨记，在做蜂蜜水的时候只能选择凉水或者温水。

蜂巢的礼物

▶ 蜂胶：蜜蜂为了生存和繁殖，将自己的唾液和酶添加到从植物中抽取的物质中，从而生成了蜂胶。蜜蜂会把蜂胶涂抹在蜂巢的间隙，避免病菌和病毒的侵害，防止大黄蜂和老鼠的侵入。另外，女王蜂产卵时，工蜂们还会用蜂蜡在产卵场所进行消毒和清洁。因它具有抗菌、抗氧化作用，所以也被人们用来制作软膏、牙膏、口腔清洁剂等。

▶ 蜂蜡：蜜蜂在筑巢时分泌的物质，呈黄褐色。蜂蜡具有黏着性，常被人们用于制作蜡烛、蜡笔、化妆品、蜡、皮鞋油等。

蜂蜜中的白色结晶是葡萄糖凝结而成

若长时间放置蜂蜜，蜂蜜中将会出现白色结晶。这种白色结晶是因蜂蜜中的葡萄糖而产生的。葡萄糖很容易凝结成结晶，这也是它的重要性质之一。与之相反，蜂蜜中的果糖则不会凝结为结晶。

按照蜂蜜种类不同，蜂蜜中的白色结晶也有多有少。这是因为蜂蜜种类不同时葡萄糖和果糖的比例也不同的缘故。白色结晶较多的蜂蜜多是由草类或矮树的花蜜制成，而没有白色结晶或白色结晶较少的蜂蜜则是由高大的树的花蜜制成。

蜂蜜中出现白色结晶而硬化时，可以选择间接加热（直接把盛放食物的容器放入沸水中）的方法来使之融化。因此，蜂蜜中出现结晶时，也大可不必怀疑蜂蜜的真假。

利用酶分解营养物质的发酵食品

即使长时间在常温下储存，有些食物也不会坏掉。具有这一代表性的就是大酱、酱油、腌鱼等。此外，泡菜不仅可以长时间储存，而且时间越久它的味道和营养价值还会越高。这其实就是发酵的力量。

发酵是微生物的作用

霉菌、酵母、细菌等微生物利用自身的酶分解碳水化合物、蛋白质等物质的过程被称为发酵。此时，酶是起催化剂（改变其他物质的化学反应速度，而自身不发生变化的物质）作用的蛋白质。牛奶或大豆发酵后，将会生成独特的香气和营养成分，变成可以长时间储存的发酵食品。

17世纪，荷兰的列文虎克发明了显微镜，人们也终于认识到了肉眼几乎看不到的微生物的存在，发酵过程也得以从科学的角度进行诠释。

到了19世纪，法国的巴斯德对葡萄酒和啤酒的发酵过程进行了研究，从而发现酵母在真空状态下可以将葡萄糖发酵为酒精和二氧化碳。他还发现了参与发酵过程的细菌、酵母、霉菌等微生物的种类与材料不同时，做出来的发酵食品也不尽相同的原理。

那么，发酵和腐烂又有何不同呢？发酵和腐烂都是微生物分解有机物质，使它的性质发生变化。发酵而成的物质具有较佳的味道和营养

价值，可以供人们食用；而腐烂的物质不仅散发恶臭，还有可能引发食物中毒，是人们不能食用的物质。简而言之，它们的区别就是发酵对人体有益，腐烂对人体有害。

遏制有害细菌增殖的乳酸

泡菜可以说是韩国最具代表性的食物。它的种类很多，最为人们熟知的就是辣白菜。

那你知道辣白菜是怎么做的吗？首先用盐腌制白菜，然后添加各种

▶1g辣白菜中，约含有8亿只乳酸菌。

佐料搅拌，最后腌熟即可。这里说的腌熟是指乳酸菌分解葡萄糖，生成乳酸和二氧化碳的发酵过程。在腌熟的过程中，乳酸菌的数量会猛增。

腌熟的泡菜中含有大量的乳酸菌，而乳酸菌则可以维持大肠内微生物的正常活动，从而预防病原菌在肠内驻留。

泡菜特有的微酸味是由于发酵过程中生成的大量乳酸与少量醋酸产生的。乳酸与醋酸都是弱酸性物质，承担着遏制有害细菌增殖的重要任务。正因为乳酸和醋酸的存在，泡菜才不容易腐烂。

大豆制成的酱油和大酱是兄弟关系

酱油、大酱、辣椒酱是韩国传统食品的传统调味料。这些传统调味料和泡菜一样，也是发酵食品。

你知道酱油和大酱是怎么做出来的吗？豆饼发酵而成的酱油被称为酿造酱油。你是不是还不知道豆饼是什么？将煮好的大豆沥干水分后碾碎，再将豆泥揉制成扁圆或者圆锥形状，置于温暖处发酵，就做成了酱油与大酱的原料——豆饼。如果把豆饼泡在盐水中进行发酵，乳酸菌会分解大豆中含有的蛋白质，生成氨基酸和二氧化碳。生成的氨基酸可以起到供给营养和调味的作用。盐水本来只有咸味，氨基酸溶解于其中后使味道变浓，从而变成了酱油。

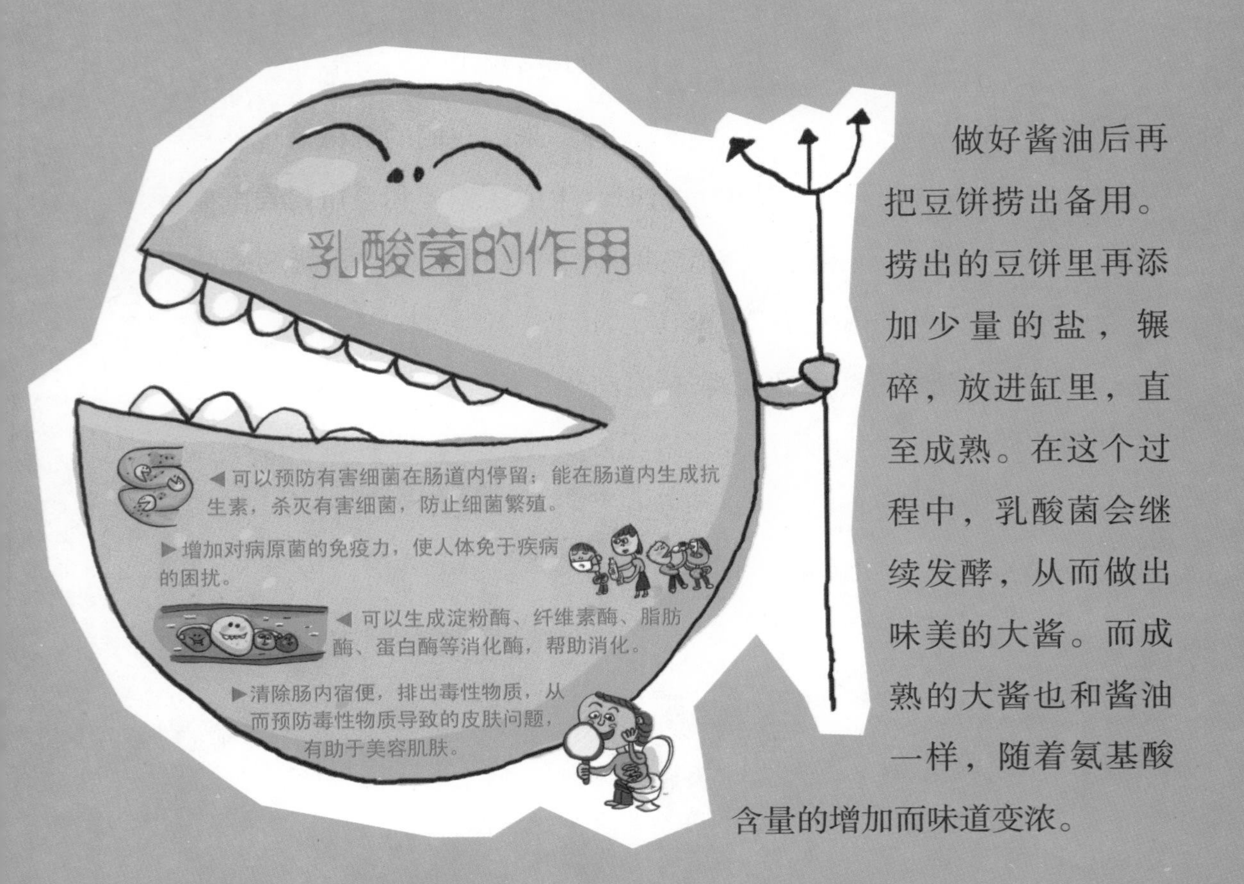

做好酱油后再把豆饼捞出备用。捞出的豆饼里再添加少量的盐，辗碎，放进缸里，直至成熟。在这个过程中，乳酸菌会继续发酵，从而做出味美的大酱。而成熟的大酱也和酱油一样，随着氨基酸含量的增加而味道变浓。

辣椒中的辣椒素可以破坏癌细胞

你吃过拌饭吗？拌饭是将辣椒酱、多种蔬菜和肉类、米饭搅拌后食用的，因此辣椒酱也可以说是拌饭的重要原料之一。为了使味道变得香甜和辣味十足，韩国的生拌类菜肴也会添加很多的辣椒酱。你现在是不是觉得口水都快流出来了？辣椒酱和酱油、大酱一样，也是韩国的传统食物之一，而且也属于发酵食品。

辣椒酱的主要原料是辣椒粉、糯米粉和豆饼粉。那么接下来，就让我们一起制作辣椒酱吧！首先，将豆饼粉、糯米粉和清水混合拌匀后置于温暖的房间里保存；等它变稀后，加入辣椒粉和盐，搅拌均匀后放入缸里；最后，置于阳光下使之成熟。这样一来，我们的辣椒酱也就宣告完成了。糯米粉中的碳水化合物发酵时，生成的糖分和豆饼粉发酵生成的氨基酸，会让辣椒酱格外香甜，再加上辣椒粉的辣味和盐的咸味，做出来的辣椒酱就会带有独特的味道了。

辣椒酱的辣味其实源于辣椒中含有的辣椒素。据研究，辣椒素被人体吸收后，将会破坏癌细胞的线粒体。线粒体可以将能量转换为生命活动所必需的形态，是非常重要的细胞结构。让人感到神奇的是，辣椒中的辣椒素只会破坏癌细胞等不健康的细胞的线粒体，而不会破坏健康细胞的线粒体。

另外，在食用油中添加辣椒时，辣椒中的辣椒素可以防止氧气和油接触后让油变质的现象。

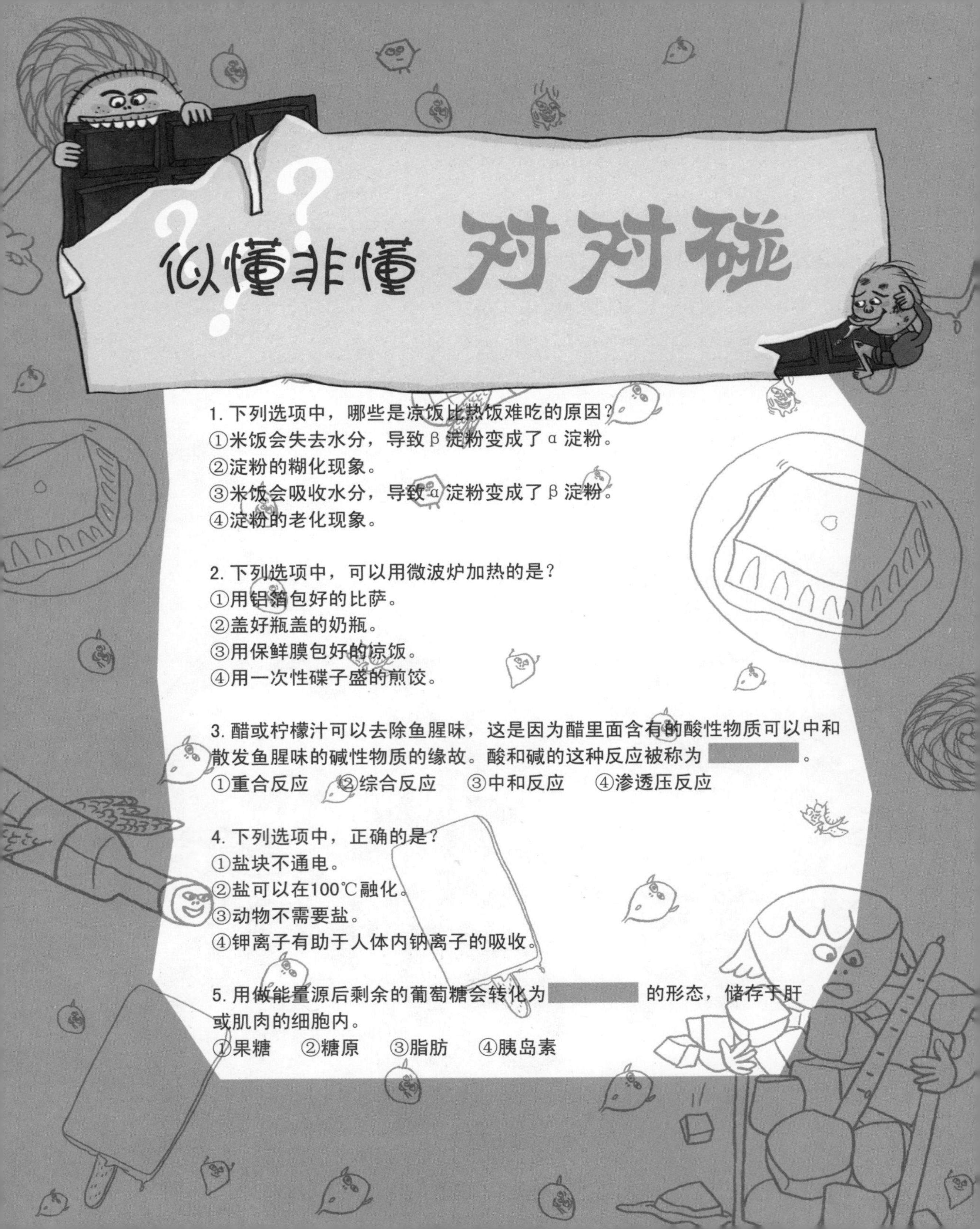

似懂非懂 对对碰

1. 下列选项中，哪些是凉饭比热饭难吃的原因？
①米饭会失去水分，导致β淀粉变成了α淀粉。
②淀粉的糊化现象。
③米饭会吸收水分，导致α淀粉变成了β淀粉。
④淀粉的老化现象。

2. 下列选项中，可以用微波炉加热的是？
①用铝箔包好的比萨。
②盖好瓶盖的奶瓶。
③用保鲜膜包好的凉饭。
④用一次性碟子盛的煎饺。

3. 醋或柠檬汁可以去除鱼腥味，这是因为醋里面含有的酸性物质可以中和散发鱼腥味的碱性物质的缘故。酸和碱的这种反应被称为 ______。
①重合反应　②综合反应　③中和反应　④渗透压反应

4. 下列选项中，正确的是？
①盐块不通电。
②盐可以在100℃融化。
③动物不需要盐。
④钾离子有助于人体内钠离子的吸收。

5. 用做能量源后剩余的葡萄糖会转化为 ______ 的形态，储存于肝或肌肉的细胞内。
①果糖　②糖原　③脂肪　④胰岛素

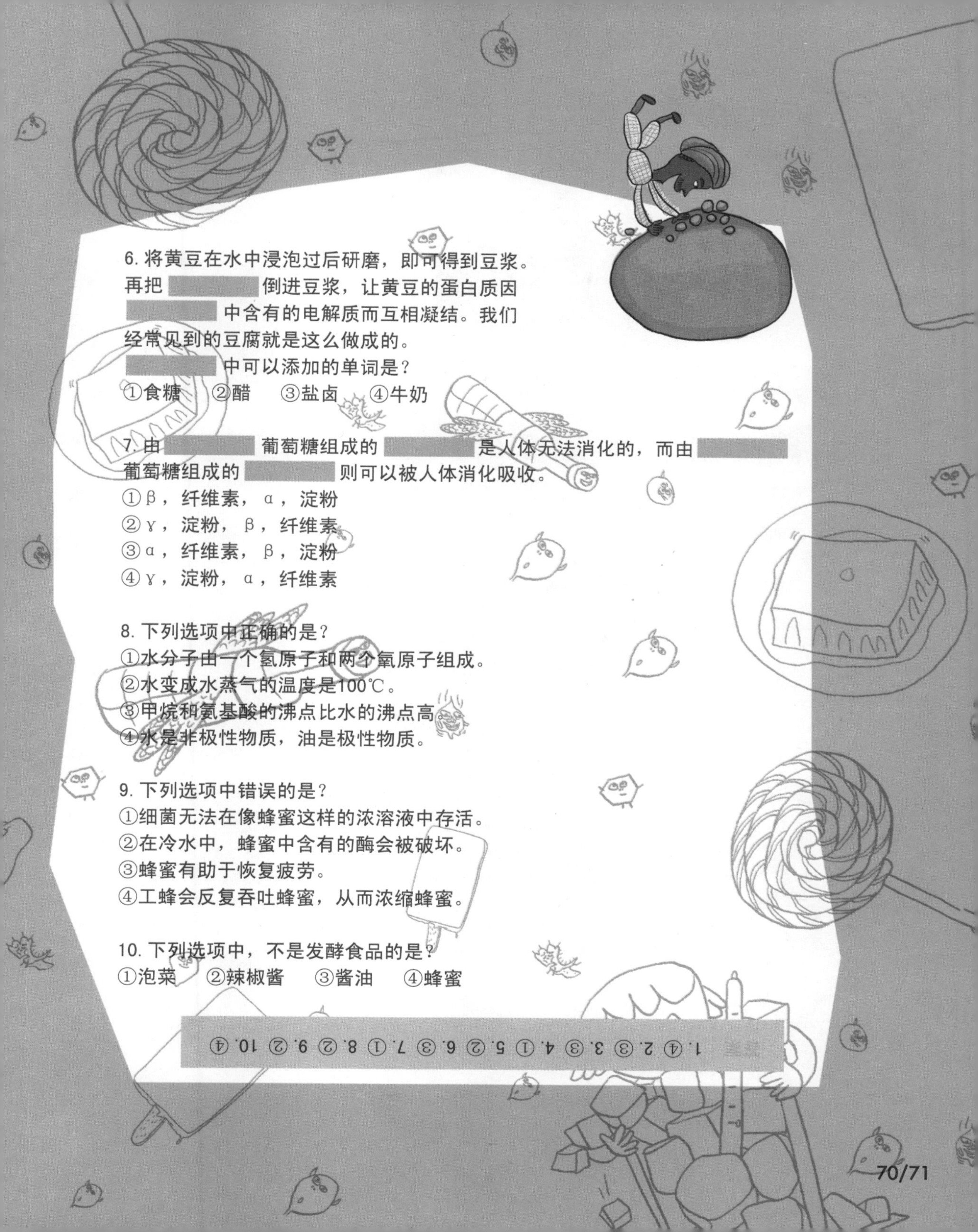

6. 将黄豆在水中浸泡过后研磨，即可得到豆浆。再把______倒进豆浆，让黄豆的蛋白质因______中含有的电解质而互相凝结。我们经常见到的豆腐就是这么做成的。

______中可以添加的单词是？

①食糖　②醋　③盐卤　④牛奶

7. 由______葡萄糖组成的______是人体无法消化的，而由______葡萄糖组成的______则可以被人体消化吸收。

①β，纤维素，α，淀粉

②γ，淀粉，β，纤维素

③α，纤维素，β，淀粉

④γ，淀粉，α，纤维素

8. 下列选项中正确的是？

①水分子由一个氢原子和两个氧原子组成。

②水变成水蒸气的温度是100℃。

③甲烷和氨基酸的沸点比水的沸点高。

④水是非极性物质，油是极性物质。

9. 下列选项中错误的是？

①细菌无法在像蜂蜜这样的浓溶液中存活。

②在冷水中，蜂蜜中含有的酶会被破坏。

③蜂蜜有助于恢复疲劳。

④工蜂会反复吞吐蜂蜜，从而浓缩蜂蜜。

10. 下列选项中，不是发酵食品的是？

①泡菜　②辣椒酱　③酱油　④蜂蜜

答案　1. ④ 2. ③ 3. ③ 4. ① 5. ② 6. ③ 7. ① 8. ② 9. ② 10. ④

吃零食的时候研究酸甜可口的**化学**

酵母做功后膨起来的面包

面包是在谷物粉中添加酵母使之膨起来后加热而成的食品，可以说是人类制作出来的最伟大的食品。大约从8000年前开始，面包就已经成为了人们的主食。据说，最初的面包是将谷物粉和清水混合搅拌后，用滚烫的石头烤制而成的。接下来，就让我们寻找面包可口的味道里面隐藏着的科学吧。

神的礼物，面包

面包被誉为神的礼物，作为主食或零食深受人们的喜爱。那么，人类是从什么时候开始吃面包的呢？《圣经》上记载“人类不可能仅靠面包活下去”，由此可以判断，在《圣经》面世之前面包就已经存在了。

从埃及古墓的壁画上可以看到，在四千五百多年前就已经有了制作面包的技术。当时人们使用的面包烤架类似于倒立的金字塔，而“金字塔”（pyramid）是希腊语，是“熟面团”的意思。因此有人推断，“金字塔”这一名称源于烤面包的过程。

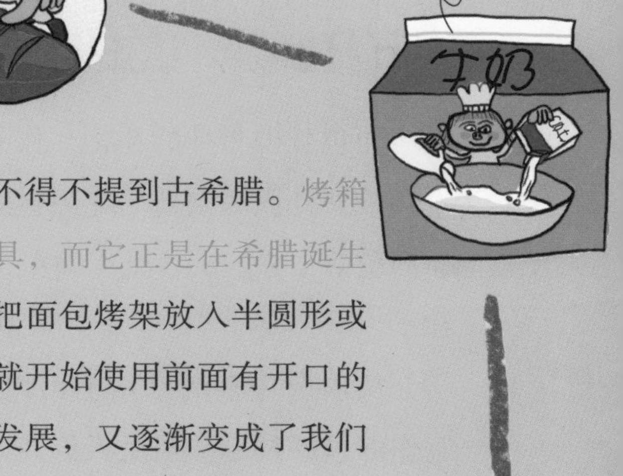

食糖烤制后变成褐色

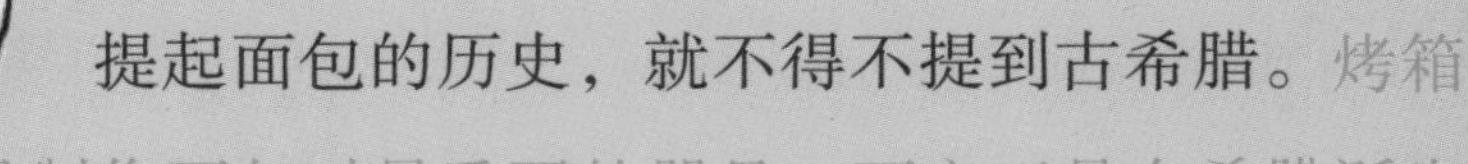

提起面包的历史，就不得不提到古希腊。烤箱是制作面包时最重要的器具，而它正是在希腊诞生的。早期的时候，希腊人把面包烤架放入半圆形或木炭状的钟里烘烤；后来就开始使用前面有开口的面包烤箱；经过长时间的发展，又逐渐变成了我们今天使用的普通烤箱。

希腊位于东方和欧洲的中间，因此它起到了将东方的烤面包技术传到欧洲的作用。此外，希腊有着丰富的水果资源，因此添加水果的各种面包和相关的烤面包技术也一直蓬勃发展。

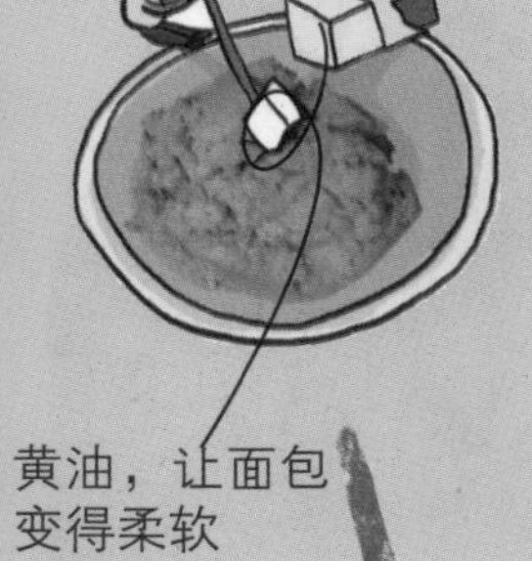

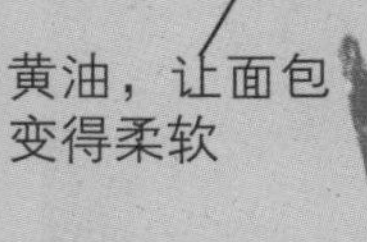

让面包膨起来的酵母

那么接下来，就让我们试着制作面包吧。想要做面包，首要条件当然是准备面粉了。把少量的盐和清水、食糖、黄油、酵母放入面粉中，和成面团。这里添加的各种材料都有它们的作用。

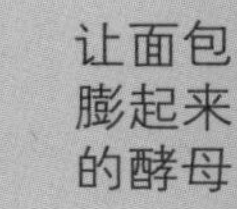

越揉就越膨

首先，黄油等脂肪可以让面包变得更加柔软。这是因为添加脂肪后搅拌时面团中会有空气进入，从而在面团表面产生很多小孔的缘故。

其次，食糖也是必不可少的材料。它不仅可以让面包带有甜味，烤制时还会变成褐色，让面包看起来更加美观。需要注意的是，食糖不能放得太多，否则的话，面包的表面可能会变得粗糙。

面粉种类不同，作用也不同

面粉中含有麦谷蛋白和醇溶蛋白等蛋白质，加清水和面时就会生成具有弹性的麸质。按麸质生成的数量不同，面粉可分为高筋粉、中筋粉和低筋粉，它们的用途也各不相同。

▶ 高筋粉：是麸质含量最高的面粉，弹性大，较坚硬，主要用于制作法式面包、意大利面和通心粉等。

◀ 中筋粉：麸质含量比高筋粉低，比低筋粉高的面粉，主要用于制作乌冬面和素面。

▶ 低筋粉：麸质含量低，适合做柔软的面团，主要用于制作饼干、蛋糕、油炸类食品。

制作面包时，鸡蛋也是不能漏的。鸡蛋里的蛋白质受热后就会凝固，可以起到硬化面包的作用。但制作面包时如果添加大量的鸡蛋，做出来的面包很可能变得过硬，应尽量避免。

和面的时候，也可以用牛奶代替清水。不过我们也要注意一点，虽然牛奶会让面包变得更加可口、柔软，但它让面包膨起来的程度却不如清水。

前面说过，和面的时候，空气进入面团的话，面团会变得柔软。另外，我们在和面的时候，也可以看到，揉的次数越多面团就越膨的现象。这表明，面团里的酵母也开始工作了。

酵母是非常小的微生物，由一个细胞组成。它的主要工作就是让糖分发酵。实际上，“酵母”（yeast）一词源于希腊语，在希腊语中是“沸腾”的意思。酵母可以使面粉的主要成分葡萄糖发酵，生成二氧化碳气体和酒精。当然，这并不是说气体就会像沸腾的水一样“扑扑”地冒出来，只是二氧化碳会让面团膨起来，并从里往外扩散，从而使我们观察到面团表面出现很多小孔。

有时候，人们还会用发酵粉来代替酵母，起到让面包膨起来的作用。发酵粉是一种白色粉末，里面含有少量的碱性物质碳酸氢钠。

碳酸氢钠又被称为小苏打。是不是觉得很熟悉？你猜对了，我们日常生活中经常使用的苏打就是碳酸氢钠。碳酸氢钠若是被加热或者和水反应，将会生成二氧化碳。因此，加入发酵粉的面团才会膨起来。

二氧化碳冲出来时产生的小孔

将做好的面团切成若干块，在27～29℃的环境中放置80～90分钟。这个过程是让面团成熟（发酵的物质完全成熟）的过程。最有利于酵母发挥作用的温度就是27～29℃。如果温度达到60℃以上或24℃以下，酵母就会停止自身活动，因此在这个时期控制好温度也是非常重要的。

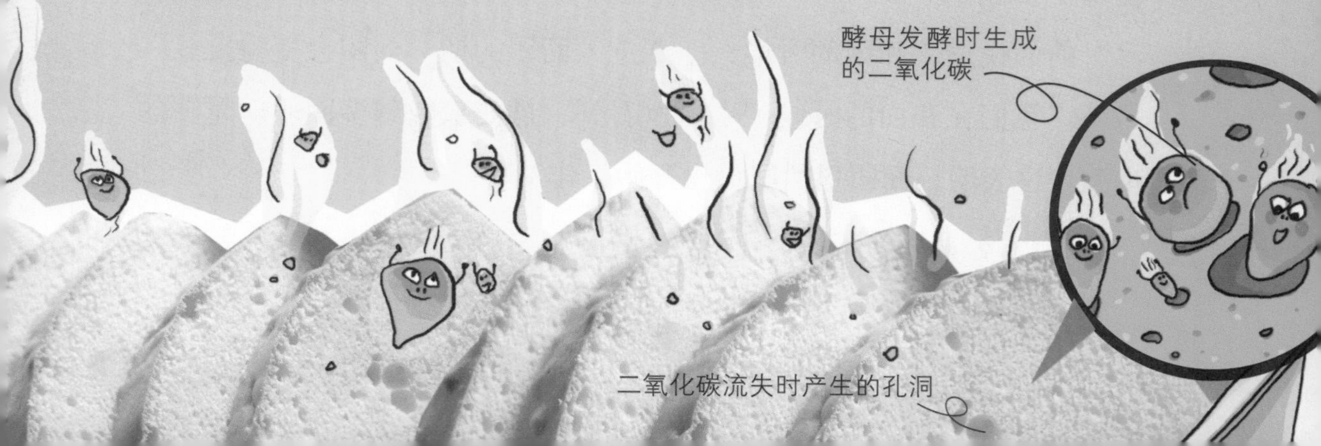

面团完全成熟后，再经过成型、烘烤，面包就宣告制作完成了。烘烤时的温度应在250℃左右。另外在烘烤时，面包会再一次膨起来。这是因为面团里的气体受热后膨胀的缘故。

前文说过，若在面粉中添加酵母，使之发酵，将会生成酒精和二氧化碳。在烘烤的时候，酒精会被蒸发掉，因此在烘烤时，才会散发出特殊的气味。另外在烘烤的时候，面团中的二氧化碳也会冲到空气中，从而在面包表面形成很多小孔。而这些小孔会让面包变得更加柔软和蓬松。

刀切的法式长棍面包

面包种类大致可分为用酵母发酵而成的发酵面包和用发酵粉迅速让面团膨起来的无发酵面包。发酵面包虽然耗时较长，但却散发出面包特有的浓郁香气。

另外，面包还可以分为仅用面团、酵母和盐制作的法式面包和添加食糖、牛奶、奶油等材料制作的美式面包。法式面包的表皮较硬，而美式面包的表皮较薄，口感也比较柔软。有趣的是，法式面包还会散发出锅巴的香甜气味。法式长棍面包是典型的法式面包，不仅表皮香脆，而且格外香甜。

法式长棍面包等表皮坚硬的面包一般都要经过刀切的工序。这是为了防止在烘烤阶段，面包膨起来时可能会裂开的现象。

乳白色牛奶的华丽变身

干酪和酸乳酪

牛奶富含多种营养物质，被称为完全营养食品，直接喝也是非常美味的。此外，它还可以变成多种物质，让我们感受到它不同的魅力。干酪、酸乳酪、黄油都是以牛奶为原料制成的食品。那么接下来，就让我们揭秘牛奶那魔术般的变身吧！

重要营养成分一个不缺的完全营养食品——牛奶

牛奶被称为完全营养食品，不仅含有碳水化合物、脂肪、蛋白质三大营养元素，还含有钙等无机物质、维生素和在营养物质的代谢中发挥重要作用的酶。

牛奶中含有的糖分是乳糖，乳糖是葡萄糖和半乳糖结合而成的二糖类，主要被用做能量源。其中，半乳糖是合成糖脂时必需的成分；而糖脂是幼儿脑组织非常重要的成分。此外，人体吸收牛奶中的钙时，半乳糖的作用也非常重要。

你有没有听说过奶油？奶油，即牛奶的脂肪，和其他脂肪比起来更容易被人体吸收。同时，它也是必需脂肪酸（为了维持生命活动，必须通过食物摄取的脂肪酸）的供给源。

牛奶蛋白质中还含有酪蛋白，酪蛋白正是让牛奶华丽变身的主角。牛奶蛋白质富含必需氨基酸，有助于人体健康成长、增加免疫力和促进大脑发育。此外，必需氨基酸之一的色氨基酸还可以促进褪黑激素的分泌，有助于改善睡眠质量。因此，很多人在难以入睡时都会喝上一杯温牛奶。

牛奶中含有多种无机物质，最具代表性的就是钙。因此，对于成长期儿童的骨骼和牙齿的形成、老龄化导致的骨质疏松症，牛奶都是

乳酸菌之父——梅契尼科夫（1845-1916）

俄罗斯生物学家梅契尼科夫在全世界范围内普及了利用乳酸菌的发酵乳。他在一篇论文中正式提出了这样的学说：肠内无法消化的食物和残留的粪便会对人体造成危害，从而缩减人的寿命。并指出，常喝乳酸菌发酵乳的保加利亚地区和高加索地区有很多长寿的人。由此认为乳酸菌发酵乳有助于延长人类的寿命。凭着这篇论文，梅契尼科夫得到了1908年的诺贝尔医学奖。

最好的营养食品。

维生素不能在人体内生成，必须通过食物来摄取。而牛奶中除了维生素C和维生素D之外含有多种维生素成分，尤其含有丰富的维生素B2。维生素B2是心脏和细胞新陈代谢所需要的物质，同时在儿童发育过程中发挥着重要的作用，是促进发育的维生素。

此外，牛奶中还含有大量的钾、镁、钠等元素和少量的铜、铁、锌等元素，这些元素对人体的新陈代谢也发挥着重要的作用。

乳酸菌的加入！酸甜的酸乳酪终于诞生了！

最近，酸乳酪、酸乳酪调味汁、低脂肪的酸乳酪冰激凌等都是颇受人们喜爱的健康食品。包括保加利亚在内的巴尔干地区，有很多百岁老人，他们的长寿秘诀就是一份以酸乳酪为主食的简朴菜单。

我们吃的大部分酸乳酪都是将牛奶用乳酸发酵而成的。牛奶昂贵的时期，也会用羊奶或驴奶来代替。

酸乳酪是在牛奶中加入乳酸菌，然后置于温暖处发酵制成的。乳

酸菌是可以分解乳糖生成乳酸的细菌的统称，其中最重要的细菌是球状的嗜热乳酸菌和长条状的保加利亚乳杆菌。保加利亚乳杆菌可以让牛奶酸化，使乳糖转化为乳酸，而生成的乳酸又可以凝固牛奶中的酪蛋白。因此，牛奶才会像嫩豆腐一样凝结成块。此外，嗜热乳酸菌在温暖处会急剧增殖，从而散发出乳酸菌特有的气味。

那接下来，就让我们详细了解牛奶凝结的过程吧。牛奶是乳剂。乳剂是指水和油等无法相溶的液体相混合的溶液。牛奶里面，脂肪分子和酪蛋白分子分布在有乳糖融化着的清水中。若是在这牛奶里添加乳酸菌，乳酸菌会使乳糖发酵，这种现象被称为乳酸发酵。

经过乳酸发酵过程，牛奶中的乳糖会变成乳酸，发生酸化反应，并使酪蛋白与脂肪分子凝结成胶体。除了脂肪成分以外，水分子、溶于水中的其他分子、增殖的乳酸菌等都会被酪蛋白形成的胶体粘住，最终导致出现牛奶块。

牛奶蛋白质的变身，味美的干酪诞生了！

在牧场刚挤出来的牛奶若是静置一段时间后，将会分成上下两层。脂肪成分浮在上面，形成奶油层，而脱脂乳则会沉在下面。上层的奶油是制作黄油的原料，而下层的脱脂乳则是制作干酪的原料。由此可见，牛奶的确是用途广泛的食品。

据说，古时候的蒙古人并没有蒸煮脱脂乳，而是在阳光下使之自然蒸发。水分蒸发后牛奶凝固而成的物质被称为凝乳。用竹篮等工具盛放凝乳后挂在高处使之风干，即成干酪。也就是说，他们制造的是没有经过发酵的新鲜干酪。奶油干酪就属于此类。

此外，人们还利用熏制凝乳的方法制作干酪。在意大利中部，那里的人们仍然在生产曾经深受罗马人喜爱的熏制奶酪。

用牛奶制作胶黏剂

“酪蛋白”是牛奶中含有的蛋白质，它对热和酸的耐受性极弱。在牛奶中添加酸后加热，酪蛋白便开始互相凝结，使牛奶具备和胶黏剂类似的黏着性。下面，就让我们利用这个性质，用牛奶制作胶黏剂吧！

①将牛奶倒进平底锅里加热。

②牛奶变热后熄火，滴入一滴醋，搅拌。若牛奶没有凝固，继续滴入醋。

我们最熟悉的奶酪是发酵奶酪。制作发酵奶酪时，既可以使凝乳自然成熟而成，也可以添加乳酸菌或霉菌发酵而成。

干酪乳杆菌是干酪中含量最大的乳酸菌，用这种乳酸菌使牛奶发酵而成的就是被称为酸乳酪的发酵乳。也就是说，干酪的发酵菌和酸乳酪的发酵菌是一样的。

如今，干酪是法国典型的商品之一，其种类达到了365种之多。干酪可以用牛、绵羊、山羊甚至是野牛的奶制作。比如置于比萨表面的布满褶皱、具有香甜气味的意大利白干酪，它就是用野牛奶制作而成的。不仅如此，马、斑马、驯鹿、牦牛等动物的奶也可以用来制作干酪。

干酪的水分中含有乳糖和微生物发酵生成的乳酸、无机物质、氨基酸、多肽等物质。其中，乳酸和无机物质可以决定干酪的味道。不过也有人说，乳酸等酸性成分的气味会因盐而变得更加明显。因此，有些人才会在干酪中添加少量盐，使之略带咸味。

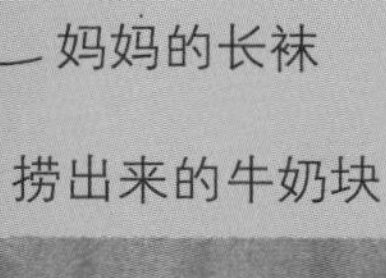

③等牛奶变凉，出现牛奶块后，利用纱布捞出牛奶块备用。若没有纱布，也可以用长袜或毛巾。

④将捞出来的牛奶块放入平底锅，用勺按压，做成面团状即可。

嚼了又嚼的饼干

口香糖

吃过口香糖的人都知道：口香糖很有嚼劲，而且刚嚼的时候满嘴都是甜味。不仅如此，嚼到没有甜味后还可以吹泡泡玩。那么，口香糖是用什么做的呢？

糖胶树胶变成口香糖

在墨西哥等中南美地区，经常可以见到一种叫人心果树的常青树。后来，该处的人们知道了收集人心果树的树液后蒸煮，即可得到黏糊糊的物质。这种物质就是糖胶树胶，而当地人就像我们嚼花生一样习惯性地嚼糖胶树胶。

后来有个墨西哥军人桑塔·安纳被流放到美国境内的某个岛屿，临走时带上了一大块糖胶树胶。桑塔·安纳有事没事喜欢咀嚼毫无滋味的糖胶树胶，而这一场景刚好被当时美国的发明家托马斯·亚当斯看到。亚当斯想要用糖胶树胶努力开发出一种可以替代橡胶的产品，但经过无数次的实验后发现，做出来的产品在弹性方面远远不及橡胶。后来就用糖胶树胶开发出了可以咀嚼的饼干。

刚开始的时候，亚当斯将甘草放入糖胶树胶里面，卖这种散发甘草气味的口香糖。后来，口香糖在形状和香气方面几经变化，出现了很多个种类。如散发薄荷香的口香糖、添加了散发水果香的物质后制成的“黄箭口香糖”等。

模仿天然的糖胶树胶，人工制作口香糖

若是使用天然的糖胶树胶，制作出来的口香糖将会含有树木的各种成分，因此味道比较怪异。不仅如此，糖胶树胶嚼起来还具有极强的韧性。因此，亚当斯才会想要发明一种替代橡胶的产品。很快地，科学家们模仿天然糖胶树胶制作出了新的物质，这就是聚异戊二烯。

聚异戊二烯是异戊二烯的聚合体，是高分子物质，也是典型的弹性体。异戊二烯是树木中产生的一种碳氢化合物，它的分子具有双键结构。若是添加催化剂，异戊二烯分子会产生聚合反应，生成聚异戊二烯分子。

简而言之，糖胶树胶就是树液中含有的异戊二烯分子受热后产生聚合反应，从而生成的高分子物质。那么聚合反应又是什么呢？它是指由单体（可以通过化学反应生成高分子化合物的单位物质）合成聚合物的反应过程。

通过聚异戊二烯，我们可以随心所欲地添加香味和糖分，从而制作出多种口味的口香糖。

不仅是异戊二烯，异丁烯、醋酸乙烯、丁二烯等化合物也能制作口香糖。而这些分子是通过简单的合成或是在精制石油的过程中得到的。是不是觉得很惊讶？——竟然可以用石油做出口香糖！

对口香糖的疑问！

▶ 为什么棒球选手在比赛时喜欢嚼口香糖呢？
这是因为，嚼口香糖可以让大脑变得活跃、缓解疲劳、消除紧张情绪、提高注意力。

◀嚼口香糖真的可以预防痴呆症吗？
咀嚼的次数过少时，血液中皮质醇的含量会增加。而皮质醇会遏制主管记忆力的海马细胞的功能，因此也可以说咀嚼（并不是非得口香糖才可以）和记忆力有关。

▶嚼口香糖会经常放屁吗？
嚼口香糖时，空气会进入人体内，因此会经常放屁。

预防龋齿的木糖醇口香糖

以前，嚼口香糖的目的非常简单，无非就是为了赶走瞌睡虫、消除餐后嘴里的异味等。不过现在，口香糖的功能已经变得多样化了。其中之一就是预防龋齿的作用。你猜得对，含有木糖醇成分的口香糖颇受人们欢迎也是这个原因，木糖醇成分就具有预防龋齿的作用。

龋齿的病因是口腔中的糖分与口腔中的细菌。餐后，我们的口腔里会留下糖分，而口腔里的致龋菌——变形链球菌——会粘在牙齿上，将糖分转化为酸性物质。这种酸性物质会使牙齿表面融化，产生龋洞，导致龋齿。

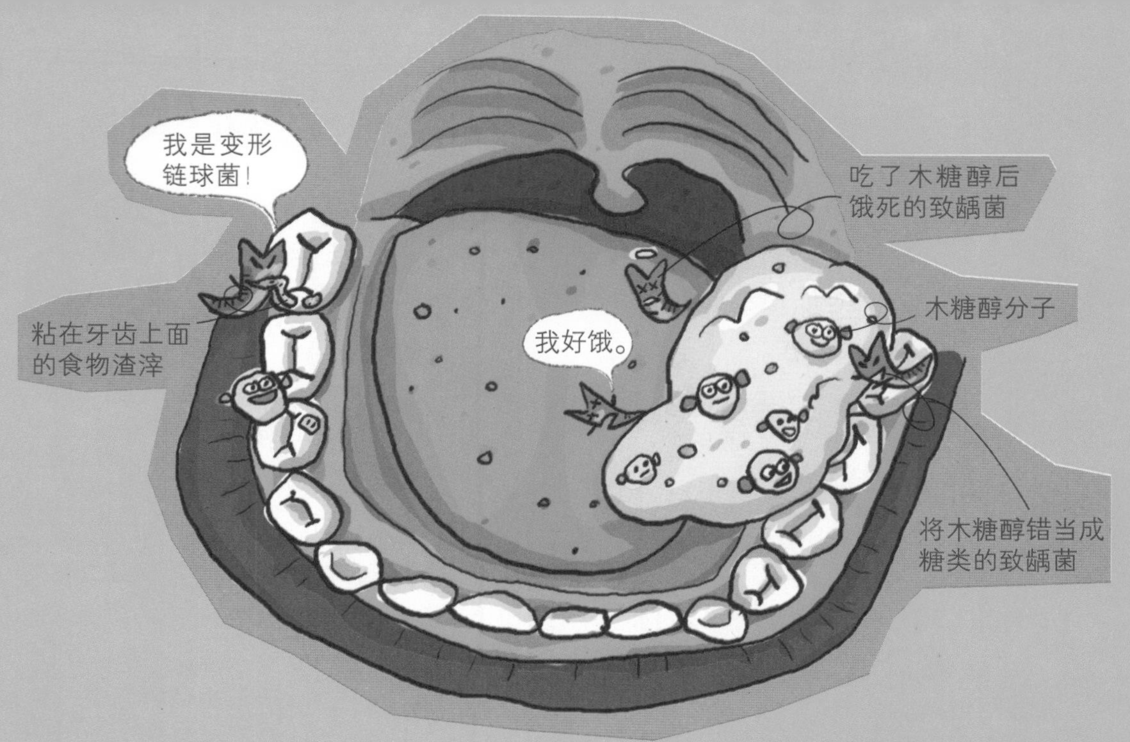

分子结构和糖类似的木糖醇分子可以杀灭口腔里的致龋菌，是保护牙齿的好帮手。它的分子结构和糖类似，而且也具有极强的甜味，这也是它名称的由来。致龋菌会把它错认为糖，冲上来试图分解它，但木糖醇分子却不为所动。结果，致龋菌就会和木糖醇纠结在一起，直到饿死。

德国的一项研究表明，乳酸菌中的乳酸杆菌可以让致龋菌无法粘在牙齿上。它可以在致龋菌粘在牙齿之前，先行粘在牙齿上，让致龋菌在口腔里无所适从，只能在漱口时被赶出口腔。相信在不远的将来，乳酸杆菌口香糖也会面世，为预防龋齿贡献自己的一份力量。

因添加的物质而变化的口香糖

托马斯·亚当斯用糖胶树胶开发出口香糖后，很快就出现了在糖胶树胶里添加食糖和香料的口感多样化的口香糖。到20世纪10年代，市场上开始出现了在糖胶树胶里添加水果萃取物的口香糖。

因添加的物质不同，有些口香糖的功能也发生了变化，比如泡泡糖。泡泡糖是从19世纪80年代开始开发的。

刚开发出来时，泡泡糖的质量很差，吹出来的泡泡很容易破掉，而且黏性较强。想要吹泡泡，泡泡糖就需要具备张力和弹性，而在刚开发出来时明显缺少这两者。为了改善这一点，人们试着在泡泡糖的主原料中添加弹性较强的丁基橡胶。到了1928年，市场上终于出现了我们现在经常嚼的泡泡糖。

口香糖中添加的香气也是决定口香糖种类的重要因素。薄荷口香糖里添加的薄荷醇具有清凉气息。治疗咽炎的药物、嘴唇干裂时用的软膏、肌肉酸痛时用的膏药等物质中也含有薄荷醇。此外，它还可以减少喉部受到的刺激，因此也会添加到香烟里。

那么，将来还会开发出什么样的口香糖呢？目前，戒烟口香糖、提升大脑功能的口香糖、促进消化的口香糖、消除宿醉症状的口香糖、改善血液循环的口香糖、消除过量胃酸的口香糖等功能各异的口香糖已经进入了研发阶段。各位又想做出什么样的口香糖呢？

含有钠离子、钾离子、少量糖分等成分的离子饮料
因激烈运动而流下的汗水
咕嘟咕嘟，吸收得比水还快的离子饮料
完成马拉松比赛的运动选手

运动过后，喝离子饮料和喝清水，哪个能更快被人体吸收呢？答案是离子饮料。离子饮料不仅能被身体快速吸收，而且还略带酸甜味，因此也比清水好喝很多。除此之外，离子饮料中还隐藏着我们所不知道的科学知识。那么接下来，就让我们全面了解离子饮料吧。

离子是失去电子或抢夺电子后产生的粒子

想要正确了解离子，我们就要先了解原子。原子是组成物质的最小粒子。已知的原子种类即元素有110种，而在地球上普遍存在的元素约为20种。是不是有点惊讶？世界上的物质种类似乎是无穷多的，但组成它们的元素种类却这么少。

任何原子都是带有负电荷的电子分布在带有正电荷的原子核周围。电子和原子核之间存在相互吸引的力，而力的大小则因原子的种类而异。因此，原子之间经常会发生抢夺电子或电子被抢的现象。

例如，钠离子连它原本拥有的电子也守不好，但氯离子却可以轻易地抢夺其他原子的电子。因此在发生化学反应时，钠原子会变成带有正电荷的钠离子（Na^+），而氯原子则变成带有负电荷的氯离子（Cl^-）。

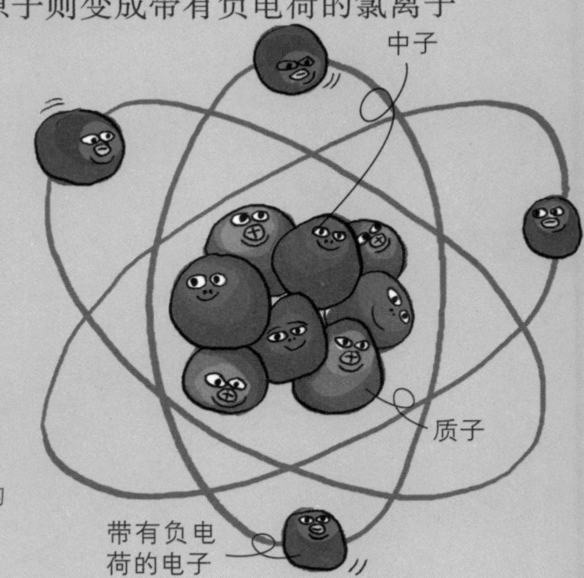

原子的结构

如上所述，离子就是原子抢夺或失去电子后变成的粒子。被抢夺电子的原子是正离子，而抢夺电子的原子则是负离子。

流汗过多时喝的离子饮料

离子饮料中含有少量糖分和大量的钠离子、钾离子。如果说得更简单一些，我们可以把离子饮料看成盐水，只是这个盐水带着酸味、甜味和咸味。

在水中溶解时变成离子的物质被称为电解质，而钠、钾等金属离子就是极佳的电解质。这些金属离子被称为矿物质或是无机物质。

组成人体的体液可以说是溶解了很多无机盐的电解质水溶液。人体内的钠离子和钾离子有助于维持正常的渗透压，保持体液的均衡，调节心脏和肾脏功能使之正常化。

虽然离子饮料含有人体所需的电解质离子，但

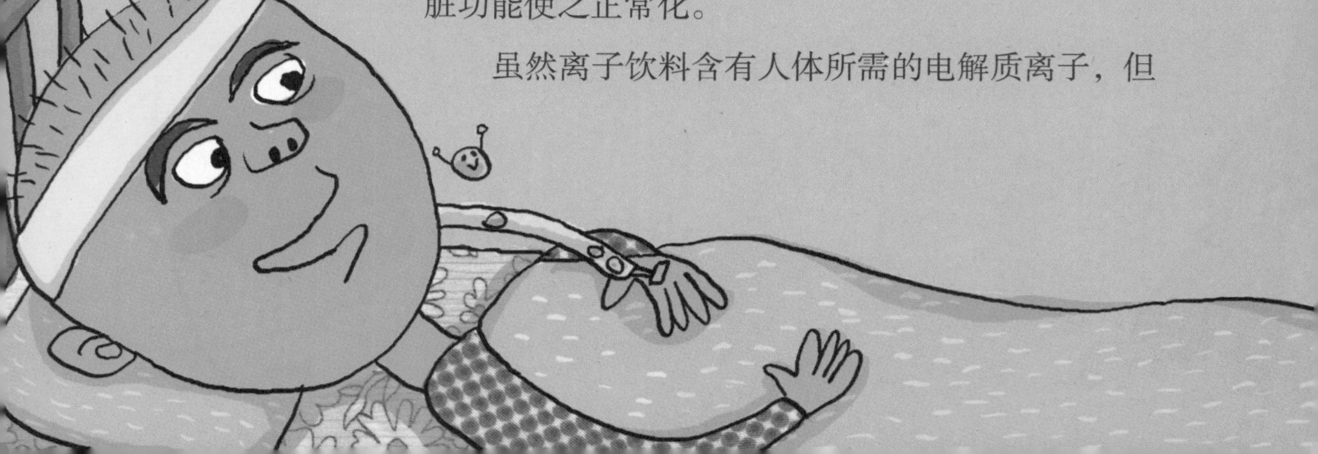

我们也不能像喝水一样随时随地都喝离子饮料。因体力劳动或剧烈运动而流了很多汗，导致身体严重脱水或盐分大量流失时喝离子饮料为佳。人体中的葡萄糖、电解质离子等物质应维持一定的浓度，但在流了很多汗以后，电解质离子也会和水分一起排出体外，而离子饮料就可以迅速补充人体流失的水分和电解质离子。

因流汗过多而感到筋疲力尽时，我们会选择喝水来补充水分，或是注射生理盐水。但是，此时喝的水和人体体液的浓度不同，因此吸收较为缓慢；相反，生理盐水却和体液成分相似，因此可以像离子饮料一样比水更快让身体吸收，当然也就比喝水恢复得快了。

如果只是轻微运动或者沐浴后流了少量汗水，大可不必非喝离子饮料不可。按时用餐、保持正常活动的人可以自然地补充水分与电解质离子，几乎不会出现体内均衡被打破的现象。

而且，离子饮料中含有大量的钠离子。所以经常以离子饮料代替清水的话就会过量摄取钠离子，并不是一个好选择。

碱性离子饮料，其实是酸性

离子饮料又被称为碱性离子饮料，这是什么意思呢？

碱（alkali）在希腊语中的意思是含钠或含钾的植物的灰。从化学角度来说，它是指锂、钠、钾等碱族金属元素放入水里时产生的氢氧化物。这些氢氧化物的特征是都呈碱性。那么，碱性离子饮料是不是碱性呢？并不是这样的，只是碱性离子饮料中含有碱性离子罢了，并不是说饮料本身呈碱性。

物质可以分为酸性、中性和碱性。在清水里，大部分水分子都没有离子化，而是保持着中性分子的状态，只有极少数水分子会出现离

子化，生成氢离子（H^+）和氢氧化离子（OH^-）。我们以此时水溶液的氢离子浓度为基准，将物质分为酸性和碱性。pH值是氢离子浓度指数，pH值等于7的清水就是中性，pH值小于7则是酸性，pH值大于7则是碱性。

例如，食醋溶于水后会产生酸味，pH值小于7，因此它是酸性物质。相反，光滑而带有苦味的肥皂水和洗涤用碱水的pH值则大于7，因此是碱性物质。其中，洗涤用碱水是指氢氧化钠水溶液，是钠离子浓度非常高的碱性物质。

那么，钠离子也就是碱性离子的浓度高的话是否就是碱性呢？其实不然。离子饮料虽然含有大量的钠离子，但它却是酸性的。判断事物酸性和碱性的标准并不是看它是否含有碱性离子，而是氢离子的浓度，即pH值是否比清水大或小。

离子饮料是不是略带酸味呢？据研究，一般来说人体会觉得pH值在4左右的酸味是最好喝的。离子饮料就是以此为标准做出来的酸性饮料。而苦味的碱性物质就不怎么受人喜欢，所以大部分人才会觉得碱性物质很不好吃。

判断酸性和碱性的酸碱指示剂

酸碱指示剂在和酸性物质或碱性物质发生反应时会变成不同的颜色，因此可以通过这个结果来判断酸碱性。石蕊试纸、酚酞、甲基橙等是经常使用的酸碱指示剂。

不过，葡萄汁、煮黑大豆的水、紫白菜、红玫瑰、茄子皮等可以萃取红色汁液的植物也可以用做酸碱指示剂。这些植物的细胞中含有的色素“花色甙”会在酸性溶液中变成红色，在碱性溶液中变成略带黄色的草绿色。

入口即化的冰激凌

在炎热的夏季，又凉又滑的冰激凌是每个人的最爱。入口即化的冰激凌，不仅吃起来爽口，还有着祛暑的作用，因此深受人们喜爱。但是考虑到健康问题，有时候还是要忍住它的诱惑。那么，冰激凌中究竟隐藏着怎样的化学原理呢？

可以混合油和水的乳化剂

关于冰激凌的起源有很多说法。其一是，在公元前4世纪，亚历山大大帝把雪从高山上运下来后和蜂蜜、果汁、牛奶混合搅拌，冰冻后食用；又说，从公元前开始，古代的中国皇帝和贵族们就喜欢吃在冰块中添加食盐和水果后制成的冰糕。

公元1300年前后，即马可•波罗完成了《东方见闻录》后，西式冰激凌才开始广为传播。马可•波罗在《东方见闻录》中记录了他在中国北京喜欢吃的“冰牛奶”（冻奶）的制作方法，这种方法传到意大利后就成为了冰冻果子露的起源。和冰激凌相比，冰冻果子露中添加的奶油较少或者干脆没有，它是将水果或果汁冰冻后研磨而成的。

那么，冰激凌的主要原料又是什么呢？制作冰激凌时，最基本的材料是奶油和水，然后还要添加少量的糖类、香料、乳化剂和稳定剂。

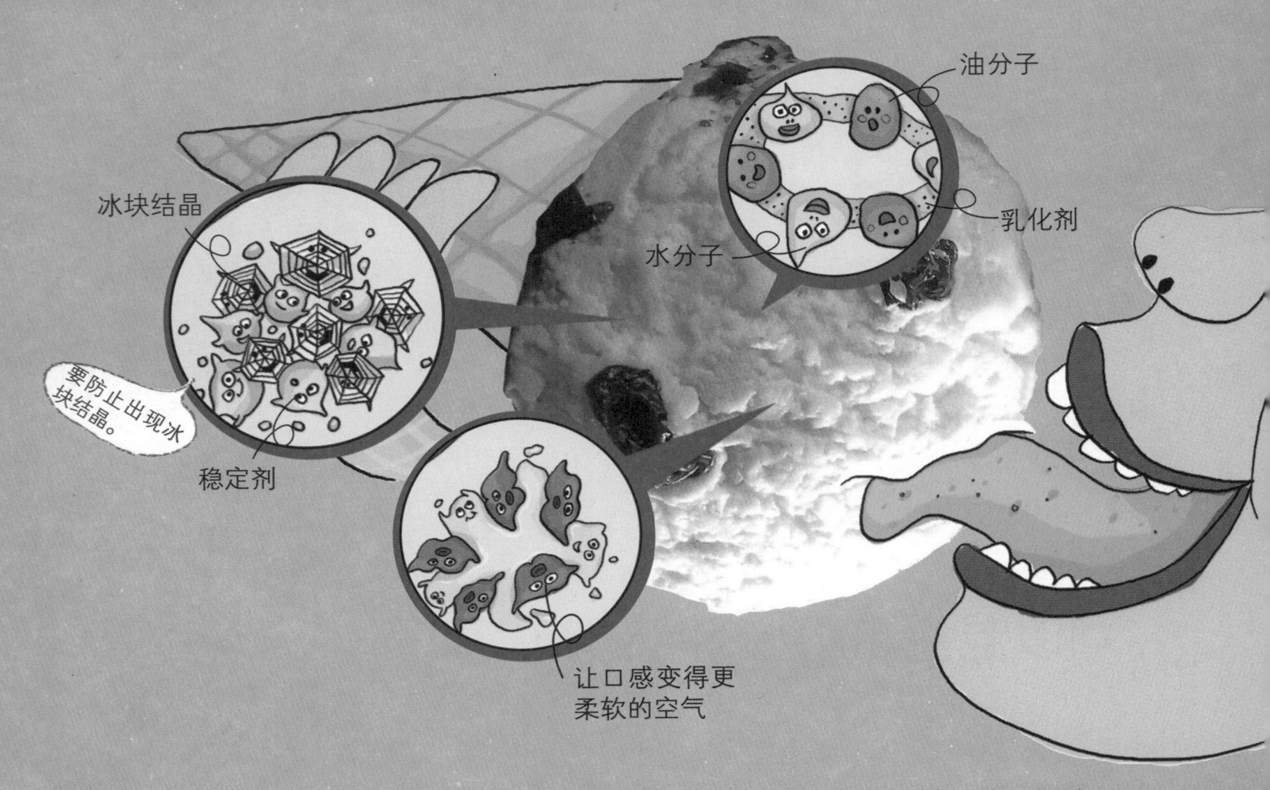

奶油是指牛奶中含有的脂肪，如鲜奶油、发泡奶油等。奶油属于油类物质，因此很难溶于水。既然它很难溶于水，那冰激凌又是怎么做出来的呢？解决方法很简单，只要加入既亲水又亲油的乳化剂就可以了。

乳化剂是帮助油和水等很难混合的物质相混合的化合物。制作冰激凌时使用的乳化剂主要是甘油和脂肪酸甲酯化合物。这些乳化剂还可以让冰激凌的组织结构变得更加柔软。

加入空气后口感变得更柔软

你有没有吃过化开后又重新冰冻的冰激凌？若是冰激凌化开后重新冰冻，它就不那么柔软了，甚至还会变得像沙子般粗糙，吃的时候发出沙沙的声音。这是因为冰激凌里的水分变成了冰块结晶，原来柔软的组织结构变粗糙了的缘故。

为了防止冰激凌里的水分互相凝结成冰块，我们可以添加“稳定剂”。制作冰激凌时添加的稳定剂主要是凝胶和纤维素。

此外，让冰激凌变得更柔软的是空气。制作冰激凌时，有一个环节是搅拌冰冻的冰激凌，而空气就是在这个时候进入其中的。进入的空气越多，冰激凌的体积就越大，做出来的冰激凌就越柔软。

冰激凌稍微融化的时候，你可以先用小勺搅拌冰激凌，然后再食用。这时，你会发现冰激凌变得更加柔软了。这是因为，当你用小勺搅拌冰激凌时，又有空气进入里面的原因。

降低冰水温度的硝酸钾

中国人在制作冰水的方法上是不是有点奇怪？在冰中加入水果是可以理解的，但是为什么还要加食盐呢？难道是因为公元前的中国人口味比较奇怪？那个时候的中国人似乎就已经知道了有关“液体冰点”的秘密，这个秘密就是水溶液的冰点比水的冰点要低。

想要让水变得更凉爽，我们可以加冰块。但是，无论我们加多少冰块，冰水的温度也不会低于0摄氏度。

在16世纪的时候，人类发现了能让冰水温度低于0度的神秘物质，那就是硝酸钾。

硝酸钾的形状和食盐相似，而且也呈咸味。当妈妈用火腿和香肠做料理时，你可以观察一下包装。硝酸钾是常用的食品添加剂，它可以保持肉类的色泽。

在冰水中添加食盐时和添加硝酸钾一样，冰水温度会急剧下降。有时候，添加食盐的冰水温度还会下降到零下20度以下。古代的中国人制作冰水时就是在冰块中添加食盐的，他们是不是早就知道了这个原理呢？

你有没有想迅速冰冻的东西？如果有的话，可以试着把添加了食盐或硝酸钾的冰水放置其中，你就会发现它会完全冰冻掉。

冰激凌是减肥的敌人？

吃完冰激凌后，是不是会觉得有点口渴呢？这是因为冰激凌中含有糖分的缘故。糖分若想在体内分解，就需要吸收体内的水分。

因为糖分的存在，冰激凌被归为高热量食品，也成了减肥人士的敌人。虽说因产品而异，但一般来说，100g冰激凌中至少含有20g糖分。一个冰激凌约重150g至200g，也就是说一个冰激凌中平均含有35g的糖分。要知道，35g的糖分可以产生140卡的热量。

为了身体的均衡，每天通过糖分摄取的热量不能超过总热量的10%。7岁儿童每天摄取的总热量约为1500卡，按照上述比例，通过糖分摄取的热量就不宜超过150卡——刚好是一个冰激凌产生的热量。换句话说，冰激凌虽然很好吃，但每天吃一个就够了。是不是这样呢？

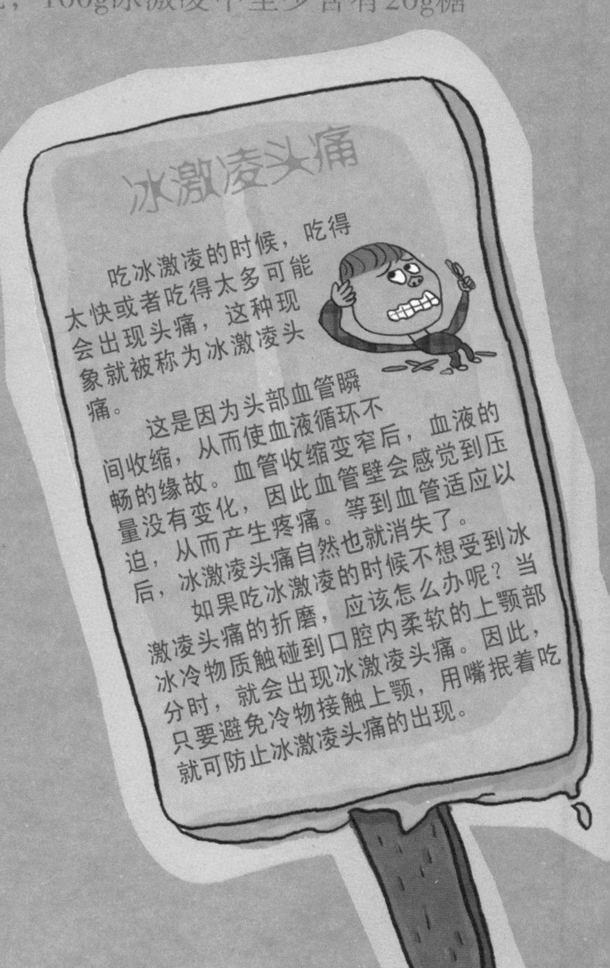

富含对人体有益的不饱和脂肪酸 橄榄油

橄榄油被称为地中海气候的礼物。它不仅富含可以降低体内胆固醇含量的不饱和脂肪酸，而且它的芳香还可以起到增进食欲的作用。那么接下来，就让我们对健康守护天使——橄榄油了解一下吧！

橄榄果实越成熟，就变得越黑

如果你还没见过橄榄长什么样儿，听我简单介绍后就会知道了。比萨表面指甲般大小的黑色果实就是橄榄果实。橄榄果实呈椭圆形，富含油脂。还没有完全成熟时呈黄绿色；然后逐渐变成绿色；等到完全成熟时则呈黑色。

橄榄树的起源目前尚不明确。据说，地中海地区的人们约从5000年前开始就已经在栽培橄榄树，并用它的果实榨油。

橄榄树高约6～10米，呈弯曲状，而不是笔直生长。最适合橄榄树生长的是地中海气候，即夏季炎热干燥、高温少雨；冬季温和多雨。

刚摘下来的橄榄味极苦，无法直接食用，因此，一般都要用盐或油腌制后再食用。如果去大型商场或者超市，我们还能看到瓶装的腌橄榄，这些就是用盐或油腌制成的。

人类用橄榄油的历史非常久远，甚至在《旧约全书》上也有

它的记载。在古代社会，橄榄是非常重要的食物，几乎可以代表农业。据说在古代字母表中，第一个文字α代表牛，而β代表房子，γ代表骆驼，ε代表橄榄。在这里，牛、房子、骆驼、橄榄也可以被看做是衡量文明发达程度的家畜、房子、交通、农业。

沙拉中添加的特级初榨橄榄油

橄榄油就如它的名字一样，是将橄榄树的果实榨油而得。因制作过程不同，橄榄油可以分为好几种。

一般而言，橄榄油可分为初榨橄榄油和纯正橄榄油。初榨橄榄油指的是将橄榄果实去皮去籽后压缩，经过离心和过滤后制成的压缩橄榄油。在初榨橄榄油中最优质的是“特级初榨橄榄油”。特级初榨橄榄油的酸度不足1%，在初榨橄榄油里面是香味最丰富的。但是，加热后它的香味就会消失。因此，特级初榨橄榄油适用于沙拉等不需要加热的食物。

那么，其他的初榨橄榄油又该如何处理呢？在初榨橄榄油中，香味不如特级初榨橄榄油的会集中加热。这样一来，这些初榨橄榄油就会失去原有的香味，成为味淡的精制（去除物质中的杂质，使之变得纯粹）橄榄油。在纯生橄榄油里面，精制橄榄油的含量占了80%，而特级初榨橄榄油的含量为20%。

因此，纯正橄榄油的香味不如特级初榨橄榄油。但是，因为特级初榨橄榄油加热后香味会消失，所以在制作需要加热的食物时还是应该使用纯正橄榄油。也就是说，反正加热之后的香味也不是很好，既然要烹炒和油炸，那还是使用纯正橄榄油为佳。

橄榄油中富含的不饱和脂肪酸

油就是脂肪，对吧？脂肪在人体内被消化吸收时就会产生能量，因此它也是重要的能量源之一。不仅如此，脂肪还是细胞膜、维生素和激素的原料。脂肪分解后生成的脂肪酸是我们人体必需的物质，因此脂肪的摄取量不足对人体是有害的。

脂肪分解时，会生成动物性油脂即饱和脂肪酸或植物性油脂即不饱和脂肪酸。

过量摄取饱和脂肪酸时，对人体有害的低密度胆固醇就会增加，从而提高患心脏疾病的概率。与此相反，不饱和脂肪酸可以降低低密

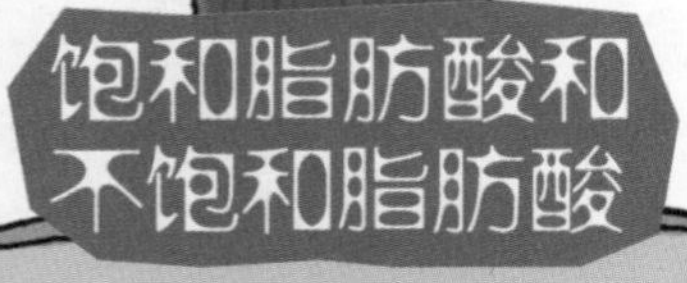

饱和脂肪酸的分子是紧密连接在一起的，因此氢原子根本进不到碳原子里面；而不饱和脂肪酸的分子就没有那么紧密，氢原子还是可以进入到碳原子中去的。不饱和脂肪酸分子中暂时还没有和氢原子连接在一起的碳原子，可以吸附人体内的有害物质，有助于健康。

◀ 因倾斜结构而存在缝隙的不饱和脂肪酸

▶ 原子们紧密连接在一起的饱和脂肪酸

度胆固醇的含量，增加有益于健康的高密度胆固醇，因此有助于预防各种疾病和癌症。

橄榄油不仅含有对人体有益的不饱和脂肪酸，而且含有的热量也比其他植物性脂肪要少，因此有助于减肥。这也是因为橄榄油中的不饱和脂肪酸比饱和脂肪酸的热量要低的缘故。

此外，橄榄油可以遏制皮肤氧化，补充皱纹皮肤所缺的营养和水分，滋润肌肤，起到保湿和增加皮肤弹性的作用。特别适合皮肤粗糙、干裂的人士使用。因此，人们经常用它当发油和润滑油。此外，橄榄油还是化妆品、肥皂的原料，广泛应用于医用软膏、灌肠剂、注射液等的制作。

对血管有害的反式脂肪酸

你听说过反式脂肪酸吗？随着人们越来越关注身体健康，反式脂肪酸频繁出现在了电视新闻和报纸上。据科学家们研究，植物性脂肪即不饱和脂肪酸中也含有对血管有害的成分，那就是反式脂肪酸。

为了将植物性脂肪也就是液体油转化为固体油，我们要添加氢，而反式脂肪酸就是在这一过程中产生的脂肪酸。人造黄油、起酥油等都是典型的反式脂肪酸，它们对人体的害处比饱和脂肪酸更甚。摄取饱和脂肪酸时，对人体有害的低密度胆固醇就会增加；而反式脂肪酸不仅会增加低密度胆固醇，还会降低对人体有益的高密度脂肪酸。因此，反式脂肪酸可能会导致心脏病和动脉硬化，而且对于糖尿病和各种癌症也是有害无利。

不光是用起酥油或人造黄油炒制的食物，但凡用液体油炒过后放置一段时间，食物中就都会有反式脂肪酸。薄脆饼干、点心等我们喜欢的食物里面，也有很多是含有反式脂肪酸的。

吃饼干的时候，我们要先仔细观察它的外包装。随着人们对反式脂肪酸危害认识的加强，很多产品的外包装上都会标明本品没有使用反式脂肪酸。因此，就算是吃一块饼干也要考虑到身体的健康，首先要看它是否用反式脂肪酸制成。

有恢复疲劳和补充热量之功效，甜味中略带苦味的巧克力

你是否会觉得：将巧克力塞进嘴里后，随着它逐渐融化，仿佛全身都尝到了它的甜蜜，甚至忧郁的心情也好转了不少？巧克力不仅味道迷人，形状也多种多样，使很多人都忍不住它的诱惑。

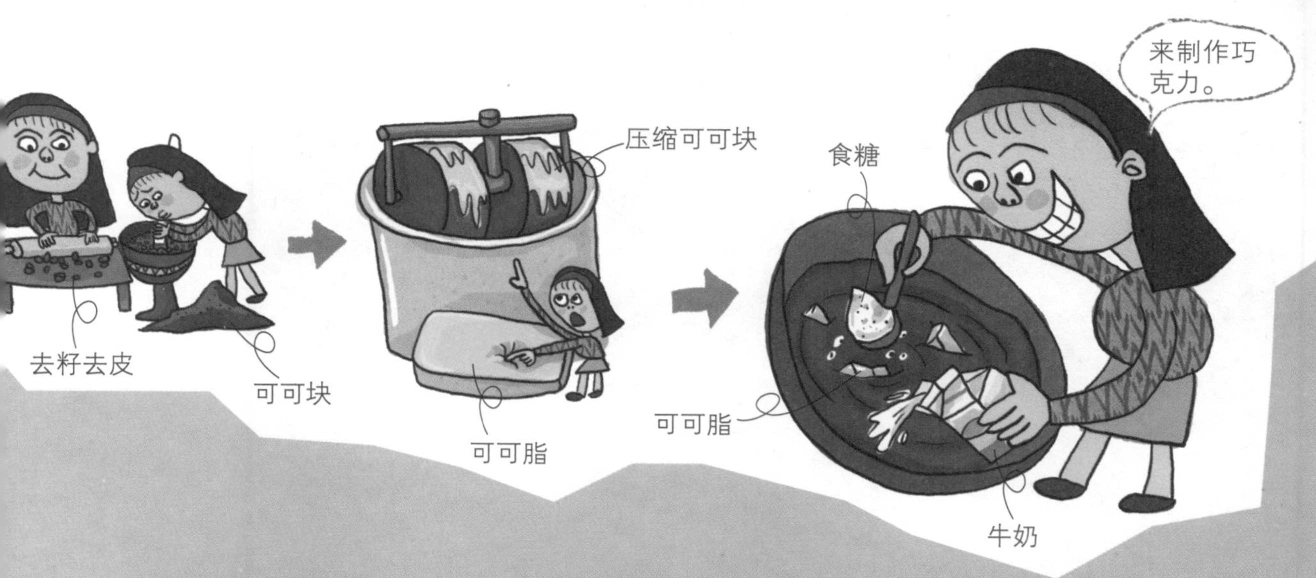

巧克力原本是液态饮料

我们都知道，巧克力是用可可豆制成的。那么，可可豆是怎么变成巧克力的呢？可可豆是可可树的果实，将炒好的可可豆去皮去籽后研磨、碾碎，即可得到可可块；将可可块在高压下压缩，它的脂肪成分就会分离出来，分离出来的脂肪就称为可可脂；将分离出脂肪后的残留物晒干后弄成粉，就是可可粉了。

巧克力就是在可可块中添加食糖、牛奶、可可脂和香料等物质后凝固而成的。在巧克力的原料中，可可脂的作用是让巧克力变得柔软、光滑，去除异味。

如果将巧克力含在嘴里它很快就会融化，为什么会这样呢？这也是因为它含有可可脂的缘故。可可脂的熔点和人类的体温差不多，因此放在嘴里才会容易化掉。

约公元500年的时候，人们就开始饮用可可饮料，它是将可可豆磨成粉后放入水中搅拌而成的，这就是巧克力的由来。当时，可可饮料

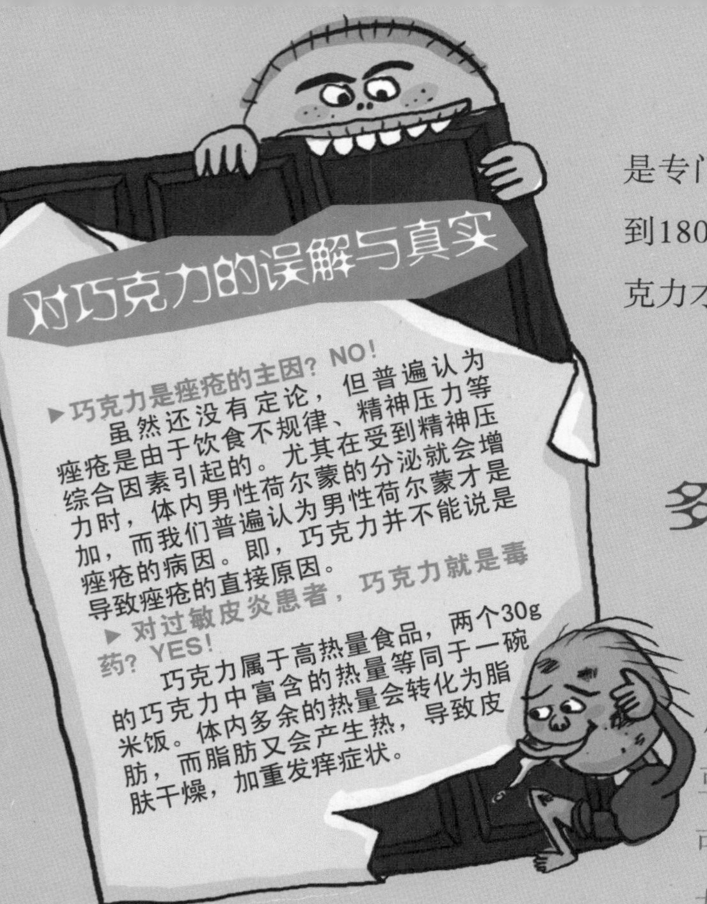

是专门上贡给皇帝的珍贵食物。直到1800年左右的时候，这种液体巧克力才演变成今天的固体巧克力。

多种多样的巧克力

可可块、可可脂、可可粉等都是用可可豆制成的，都属于可可豆的加工品。因可可豆的加工品含量不同，巧克力可以分为牛奶巧克力、黑巧克力和白巧克力。

黑巧克力中，可可豆加工品的含量在45%以上，奶粉含量在5%以下，苦味比甜味重，因此味道稍苦。

而在牛奶巧克力中，可可豆加工品的含量在20%以上，奶粉含量也在20%以上，因此比黑巧克力要甜，也要柔软。它是瑞士的丹尼尔·彼得在1875年发明出来的。

白巧克力是不添加可可块，仅添加20%以上的可可脂制作而成的。在美国，若不添加可可脂就不能称之为巧克力，因此白巧克力在美国的名称是“裹着可可脂的白色饼干”。

若可可豆加工品的含量达到70%以上，那么该巧克力就属于顶级巧克力。相反，若可可豆加工品的含量极低，该巧克力就会被视为“不能吃的巧克力”，往往被人们忽视。这是因为在制作巧克力时，可可豆成分的含量少了多少，食糖、奶粉、廉价植物油等物质就会相应增加多少的缘故。因此，在购买巧克力时，应该先确认可可豆加工品的含量。

巧克力可以促进脑内啡的分泌

人们经常说巧克力代表爱情，可能就是因为巧克力除了可以使人心情愉悦外，还能使人心情安稳、缓解紧张情绪。那么，吃巧克力真的就容易产生爱吗？最新研究结果表明，这并非无稽之谈。

我们大脑里面的神经细胞会利用色氨基酸制造血清素，而血清素则是神经传递物质。血清素可以在神经细胞之间传递感觉信息和引起情感变化，因此血清素增加可以使人心

情愉悦。所以，富含色氨基酸和苯乙胺的巧克力也的确可以说是爱的灵丹妙药了。

此外，像巧克力这样的甜食还可以促进脑内啡的分泌，而脑内啡正是让人感到高兴和幸福的东西。巧克力中含有的咖啡因、可可碱、色氨基酸、苯乙胺等化合物都有这样的作用。

其中，咖啡因可以轻微刺激中枢神经，让沉入谷底的心情重新变得愉悦起来。30g巧克力中约含有20mg的咖啡因，相当于一杯咖啡所含咖啡因的1/5左右。

事实上，巧克力中含有的可可碱是咖啡因的7倍之多。可可碱可以说是咖啡因的远亲，有扩张血管和利尿的作用，因此很久以前就深受医生们的喜爱。此外，可可碱和咖啡因比较相似，不仅可以促进脑内啡的分泌，还可以刺激大脑皮质，提高思考能力。

疲劳恢复剂——巧克力

过于疲劳的时候吃巧克力可以稍微缓解疲劳，这是因为巧克力中的糖分变了魔术的缘故。

那么，疲劳是从何而来的呢？我们在移动身体或者思考的时候，通过食物摄取的热量就会被消耗掉。如果热量消耗过多，储存在肝脏内的糖原也会消耗一空，血液就得不到糖分的供给。这时候，我们就会感到疲劳。

如果此时吃巧克力，巧克力中的糖分会立即使血液的血糖值恢复正常，从而迅速恢复疲劳。

但是，如果因为感到疲劳就吃过多的巧克力也不好。要知道巧克力是高热量食品，食用过多很容易导致肥胖。100g巧克力可以产生530千卡以上的热量，这几乎和简单的一餐饭相等。

有二氧化碳溶于其中的饮料

碳酸饮料

如果将汽水倒进杯子里，就会发现冒出很多白色气泡。迅速升上来的气泡在和空气接触的一瞬间，就会啪的一声破掉。这个气泡其实就是二氧化碳。像汽水这样，有二氧化碳溶于其中的饮料被称为碳酸饮料。那么，气态的二氧化碳是怎么溶解在液体中的呢？

因为有碳酸离子，才会有凉爽感觉

二氧化碳由一个碳原子和两个氧原子结合而成。二氧化碳有易溶于水的性质，当它和水发生反应时就会产生碳酸离子，而这个溶液也会带有凉爽感觉。

刚刚已经说过，汽水、可乐等碳酸饮料是溶解二氧化碳后制作而成的。而想要溶解二氧化碳，就需要高压环境。压力越大，被水溶解的气体的量也就越多。即使是已经被水溶解了的气体，当压力降低时就会恢复到气态，从液体中脱离出去。因此，当我们打开碳酸饮料的瓶盖时才会有气体冒出来。

另外，温度越低，溶于水中的二氧化碳气体就越多。当温度升高时，气体在水中的移动变得活泼，更容易从水中脱离。如果把汽水倒在杯子里等一段时间再喝，会出现什么现象呢？这样的话，汽水特有的凉爽感觉就会消失掉，汽水也会变得像糖水一样。这是因为温度升高时，水中溶解的二氧化碳脱离了液体的缘故。

其实，二氧化碳也是生命的气体

我们经常说氧气是生命的气体，这是因为地球上几乎所有的生物都在进行有氧呼吸的缘故。但事实上，二氧化碳也属于生命的气体。因为，二氧化碳是光合作用最重要的原料之一。

植物会将太阳光、从空气中吸收的二氧化碳和根部汲取的水分结合，生成葡萄糖。这就是光合作用。

通过光合作用生成的葡萄糖会在植物体内转换为淀粉或纤维素储存起来。植物储存起来的淀粉和纤维素会成为草食动物的美食，而草食动物又是肉食动物的美食。你也注意到了吧？我们人类是既吃草又吃肉的。也就是说，我们人类不仅会吃植物储存起来的淀粉和纤维素，也吃食用这种植物的肉食性动物。土豆、红薯、洋葱、玉米等植物通过光合作用储存起来的淀粉和纤维素最终会成为人们最重要的食粮之一。

不仅如此，人类和各种动物在呼吸的时候都会吸进氧气呼出二氧化碳。而植物则会吸收这些二氧化碳，生成动物可以吃的葡萄糖，甚至还可以生成干净的氧气。

在我们人体内，二氧化碳的作用也是非常重要的。人体内会发生无比复杂而繁多的化学反应，人类也因而得以维持生命。人体内化学反应的速度和温度、氢离子的浓度有关，而我们体内有着让温度与氢离子浓度保持稳定的装置，二氧化碳正是让这个装置发动起来的重要因素之一。

碳水化合物在细胞里面燃烧生成能量的时候，大量的二氧化碳也会同时产生。此时生成的二氧化碳会被血液溶解，转移到肺部，并通过呼吸排出体外。不过，二氧化碳被血液溶解后，一部分会转化为碳酸离子和碳酸氢离子。这些离子的作用就是调节血液中的氢离子浓度。

人类的血液应该维持一定的氢离子浓度。因此，从二氧化碳转化而来的碳酸离子和碳酸氢离子是和我们的生命息息相关的。

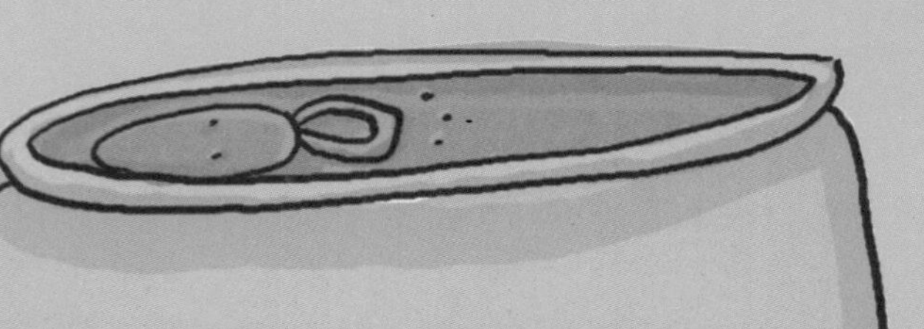

正确使用碳酸饮料

▶摇晃后立即打开时，应格外小心

摇晃碳酸饮料时，顶部空间里的气体会进入饮料中，从而产生气泡。这些小气泡会成为二氧化碳集中后的核心，并随着周围出现无数个气体，变得越来越大。这样一来，二氧化碳就更容易从液体中脱离，打开瓶盖时也会有更多的二氧化碳带着液体喷出来。打开香槟之前先剧烈摇晃也是基于这个原理。

▶变温时就消失的刺激味道

碳酸饮料加热时，液体中的二氧化碳气体就会朝瓶内上方的空间集中。如果此时打开瓶盖，涌出来的二氧化碳就比凉饮料要多。也就是说，因为溶于碳酸饮料中的二氧化碳会减少，所以它的刺激味道也就消失了。因此，在保存喝剩的碳酸饮料时应倒置于冰箱内。

干冰是固体二氧化碳

你见过二氧化碳吗？你说气体是看不到的？其实不然，你应该至少也见过一次二氧化碳。你见过包装冰激凌时为了防止它融化而添加的干冰吧，那就是固体二氧化碳。

那么，固体二氧化碳是怎么制作出来的呢？二氧化碳在1个大气压和常温（一般指25摄氏度，即未加热、未冷却时的温度）下是气态，但如果增加压力和降低温度，它就会变成固态。

干冰的温度非常低，达到了零下78.5度，但如果置于空气中，它很快就会变成二氧化碳气体。冰（固态）是先变成水（液态）后再变成蒸汽（气态）的，对吧？不过二氧化碳却是直接从固态变成气态，这种现象称为升华现象。

之所以要在包装冰激凌的时候加入干冰，原因就在于此。干冰在升华的时候，会吸收周围的热量，而这些热量又会被干冰直接化成气体挥发掉。换句话说，因为干冰夺走了冰激凌的热量，因此冰激凌就变得不容易融化了。

水和油混合而成的蛋黄酱

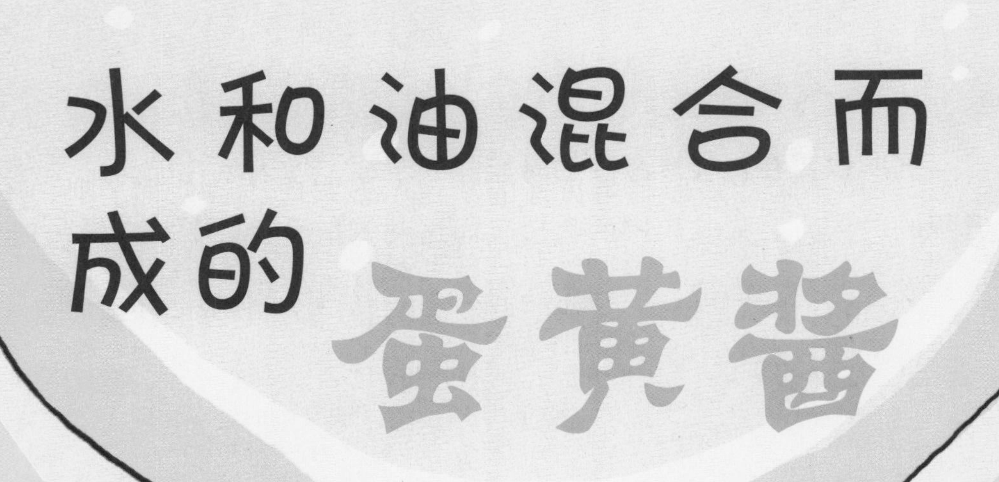

你有没有在家里做过蛋黄酱？它不仅所需材料简单，制作过程也很简单。只要一直搅拌蛋黄，并中途添加油和食醋就可以了。你是不是很好奇食醋、蛋黄和油究竟是怎么变成蛋黄酱的？

让水分子和油分子结合的表面活性剂

怎样用一句话来形容蛋黄酱的味道？答案应该就是香了吧。不过，香喷喷的味道并不是我们的舌头感知到的。这是不是让你觉得很奇怪？味道竟然不是用舌头感知到的。我们经常说的香的味道，其实是通过嗅觉感知到的。我们的舌头只能感知到酸、甜、苦、咸，其他的味道则是通过疼痛和嗅觉来感知的。

那么，是什么让蛋黄酱变得很香呢？答案就是蛋黄。蛋黄酱的主要成分可以说是植物油（主要是大豆油），但如果没有蛋黄的话就不能做出蛋黄酱。因为，油很难和其他物质融合，尤其是水。但是，蛋黄却可以让它变得和其他物质融合。

蛋黄中含有一种叫卵磷脂的化合物。卵磷脂的分子是长条状的，一端是亲水基，另一端则是亲油基。因此，卵磷脂不仅可以和水结

合，还可以和油结合。当两种不同的物质接触时，可以在连接点使两种物质互相混合的物质被称为表面活性剂。蛋黄中的卵磷脂分子和水、油分别发生反应后，就会形成胶体离子。这里说的胶体离子是指能用显微镜看到的粒子。

像这样，水和油因为卵磷脂分子而混合均匀的状态被称为乳剂，而生成乳剂的过程则被称为乳化。不仅是蛋黄酱，奶油和牛奶中，水和油也是以乳剂形态存在的。

起表面活性剂作用的鸡蛋

在制作蛋黄酱的时候，食醋和盐也是必不可少的重要材料。被卵磷脂分子包围的油滴是带有电荷的。如果是同种类的电荷，油滴之间会有互斥的力，这种力被称为斥力。

不过食醋和盐都属于电解质，它们的水溶液中会有带电荷的粒子。因此，食醋和盐才能让卵磷脂分子不会受到斥力的影响。

蛋清中含有的蛋白质也可以起到表面活性剂的作用。你知道用力搅拌蛋清时会生成气泡吧？搅拌蛋清时会有空气进入到蛋清里面，而蛋清中的蛋白质则会包围这些空气，从而形成气泡。

在蛋清中加入一滴食醋和少量的盐后，一边加入油滴一边由慢到快地搅拌，我们会发现它会生成很多小气泡，而油和水也开始均匀混合。如果加入足量的油，再用盐和食醋调味，我们不用蛋黄也可以做出可口的蛋黄酱。

冰激凌中的凝胶也是表面活性剂

如前文所说，表面活性剂可以让很难混合的物质互相混合均匀，它是不是很像一个仲裁者呢？蛋黄酱是添加表面活性剂制作而成的，还有一些食物本身就是很好的表面活性剂，如凝胶等。

凝胶是将胶原和水一起加热、分解后制作出来的水溶性蛋白质之一。胶原主要存在于动物的肌腱，是一种不溶性蛋白。

蛋白质既可以和水分子结合，也能和油分子结合。因此，凝胶还可以起到表面活性剂的作用。还记得吗？前文提到过凝胶是制作冰激凌时使用的稳定剂，而这个瞬间也就是凝胶发挥其表面活性剂作用的时刻。

凝胶在冷水中会膨胀，而在热水中则会溶解。凝胶溶解后的溶液

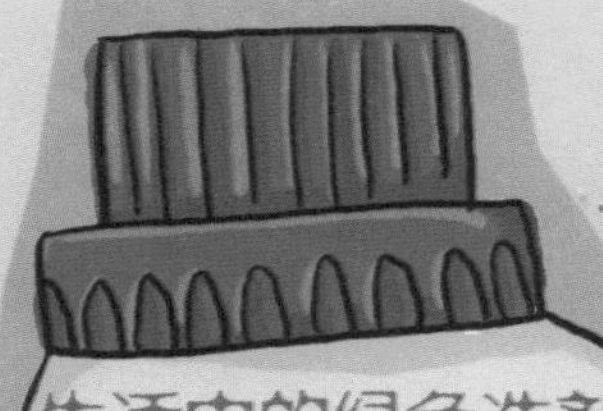

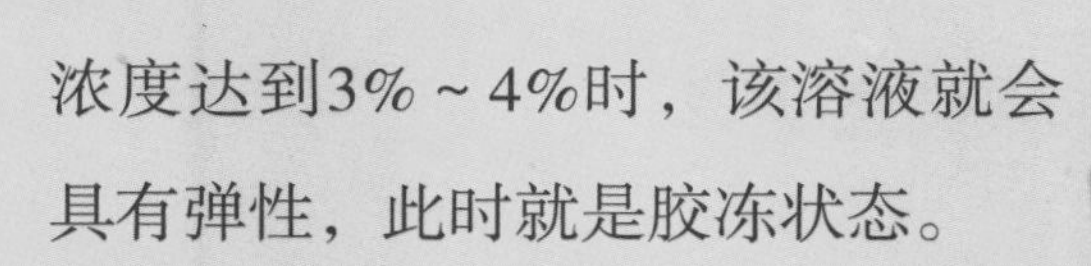

浓度达到3%～4%时，该溶液就会具有弹性，此时就是胶冻状态。

因为胶冻具有弹性，所以添加在食物中的话可以起到定型和硬化的作用。因此，凝胶经常会被添加到一些食品或料理中，做成胶冻饼干或者用于装饰其他食物。

生活中的绿色洗剂

市场上贩卖的大部分厨房洗剂都使用了合成的表面活性剂，这也导致了环境激素的分泌和环境污染的加剧。考虑到我们的健康和对环境的污染问题，接下来就给大家介绍几种无公害洗剂吧！

◀ 取面粉2～3勺放入温水中搅拌均匀，然后用洗碗布蘸着洗碗，就可以清除油渍和辣椒酱残留物，而且效果比化学洗剂还要好。

▶ 咖啡含有大量油分，因此将喝剩下的咖啡渣用布包好后擦木地板，可以让地板油光发亮。

◀ 用土豆和苹果的皮擦洗水槽、厨台和厨具，即可清除油渍。

▶ 将发酵粉两勺和食醋一勺加入一杯清水中即会出现气泡，如果将之倒进喷雾器中使用，即可清除煎锅上的陈年油渍、便器的污渍、丝绸墙纸的污垢等等。

有弹性的胶冻

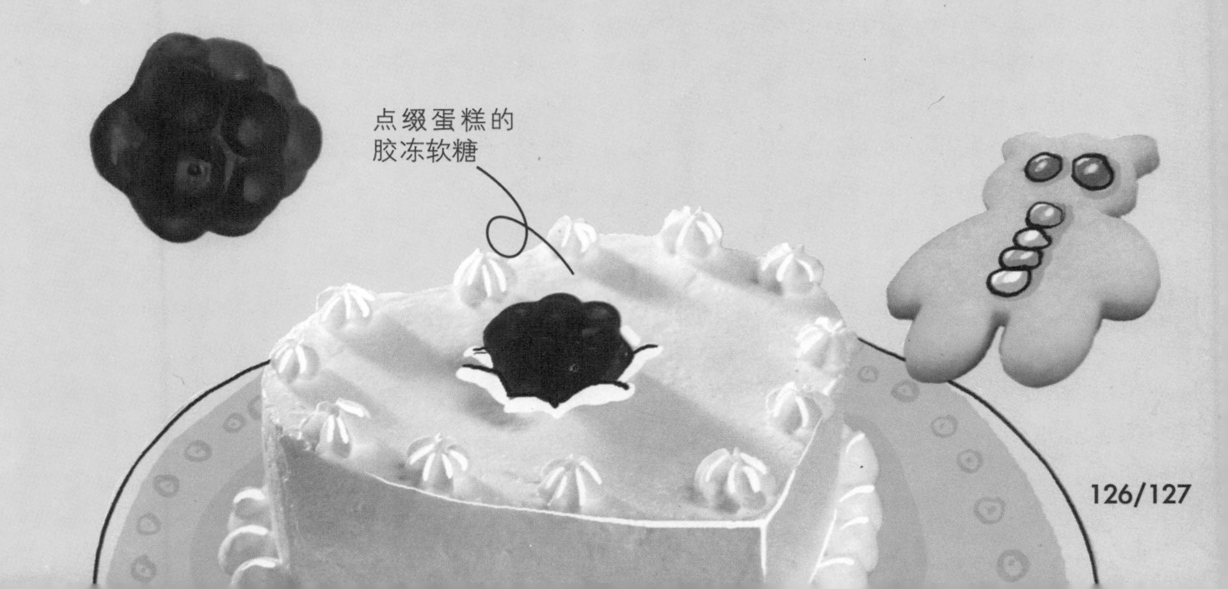

点缀蛋糕的胶冻软糖

牙齿的守护者 木糖醇

木糖醇是主要添加到口香糖里的天然甜味料。它的甜味可以和食糖媲美，而含有的热量却比食糖少，因此不仅可以预防龋齿，还有助于减肥。那么，我们能不能相信木糖醇的功效而疏于漱口呢？

作为食糖替代品而诞生的木糖醇

其实，木糖醇被人们熟知也只是近100年来的事情。约100年前，食糖因为产量太低，价格非常昂贵。最开始的时候，人们只是为了替代食糖而开始研究木糖醇，随后它被用于糖尿病患者控制血糖，约从30年前开始则成为了公认的具有预防龋齿作用的天然甜味料。

那么，木糖醇是怎么制作出来的呢？白桦、橡木等植物中就含有木糖醇。其中，从芬兰白桦中得到的木糖醇最为有名，因此木糖醇还被戏称为“白桦糖”。

将白桦切成小段放入水里加热，白桦中含有的高分子物质树胶质就会分解，生成木糖分子。这个过程被称为提取。如果在提取出来的木糖分子中再加入氢，就可以得到木糖醇了。

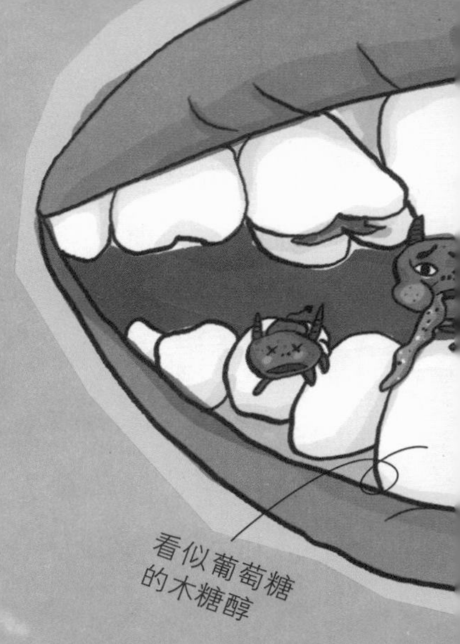

欺骗致龋菌的木糖醇

木糖醇是由5个碳组成的化合物，被称为戊糖。而甜味的葡萄糖、果糖等已糖都是由6个碳组成的，也就是说木糖醇和它们相比少了一个碳。木糖醇之所以能够预防龋齿，原因就在于它的这个结构。

口腔里的致龋菌会吃掉葡萄糖和果糖等已糖，并在分解它们的过程中获得能量。这些糖在分解时会生成乳酸，而乳酸会融化牙齿表面，进而导致龋洞。简单地说就是牙齿会烂掉。

不过木糖醇就不一样了。木糖醇的构造和已糖类似，因此致龋菌很难分辨它们的区别。致龋菌会把木糖醇当成已糖来吃掉，但木糖醇不会被它们分解，只会被它们完整地排出来。因为木糖醇不会被分解，可以让牙齿融化的乳酸当然也不会产生了。

不过致龋菌却根本意识不到这些，只会一直吃木糖醇，然后再把它完整地排出来。结果会怎么样呢？因为无法从木糖醇获得能量，致龋菌最终会饿死。

木糖醇不仅可以欺骗致龋菌，它还有让口腔感到清凉的作用，从而促进唾液分泌。因为木糖醇的这些特征，它成为了预防龋齿的代名词，被广泛应用于预防龋齿类的食品。

木糖醇口香糖应在漱口后嚼！

既然木糖醇口香糖有预防龋齿的作用，那是不是也不用漱口，直接嚼木糖醇口香糖就可以了呢？

刚刚说过木糖醇可以促进唾液分泌，而这会导致能够融化牙齿表面的乳酸被中和，因此多少也可以预防牙齿烂掉的现象。但是，因为牙齿缝隙里的食物残渣没有除净，所以它就会一直产生乳酸，直到食物残渣里的糖分完全分解。

也就是说，我们必须在餐后和临睡前漱口，避免食物残渣残留在牙齿表面和缝隙里。然后再吃木糖醇的话，就可以起到明显的效果了。因为在漱口时已经除净了食物残渣，所以此时嚼木糖醇就可以欺骗致龋菌，让它一直反复地吞吐木糖醇。换句话说，漱口后嚼木糖醇可以说是对致龋菌的严刑了。

唾液的科学知识

▶ 唾液最重要的作用是将淀粉分解成甜味的麦芽糖，这是因为唾液中含有淀粉酶的缘故。长时间咀嚼米饭时会觉得甜就是这个原因。

◀ 唾液的分泌量因食物而异。在吃面包等干燥的食物后会分泌大量的唾液；若是湿润的食物，唾液的分泌量就会少很多。此外，酸味的食物也会促进唾液的分泌。

▶ 唾液的pH值会因外部的刺激而有所不同。平时，唾液的pH值是6左右，但在吃东西的时候就会增加到7～7.3。在这个环境下，促进消化的淀粉酶较为活泼。

人工甜味料，糖精和阿斯巴甜

最甜的还要数食糖，不过食糖分解时不仅会产生较多的热量，还会消耗胰岛素，因此尤其不适合糖尿病患者和肥胖的人。

而木糖醇虽然甜的程度和食糖差不多，但它的热量却只有食糖的40%，因此对于减肥的人来说，这可是一个好选择。此外，它不会消耗胰岛素，因此还被糖尿病患者用来替代食糖。

那么，除了木糖醇以外还有没有其他的甜味物质呢？1879年的时候，德国的一位化学家发现了人工甜味料糖精。糖精的甜味几乎是食糖的200倍左右，而且不会被人体吸收，只能直接排出体外，因此通常被用做“低热量甜味料”。

阿斯巴甜也是一种人工甜味料，它是美国化学家在1965年开发治疗胃溃疡的药时偶然发现的。阿斯巴甜的甜味是食糖的200倍以上。阿斯巴甜常用于清凉饮料，减肥可乐是其中最具代表性的商品。少量的阿斯巴甜虽然也有极强的甜味，但它的缺点也非常明显，那就是甜味会久久留在口腔里。因此，喝过量的清凉饮料反而会觉得渴。

天然甜味料——山梨糖醇和低级多糖

木糖醇、山梨糖醇和低级多糖是代表性的天然糖。其中，山梨糖醇是苹果等水果中含有的糖。苹果切半时，你有没有看到过果肉中有着黄色的部分？人们常说那是渗透到苹果里的蜂蜜。事实上，这个部分就是山梨糖醇堆积而成的。

山梨糖醇可以吸收水分，因此还被添加到牙膏里面。打开牙膏后，就算不把盖子盖回去，里面的牙膏也不会轻易凝固，这就是因为它含有山梨糖醇的缘故。

低级多糖也和木糖醇一样，被人们视为有益健康的糖类。它几乎不被人体吸收，也不会产生热量，因此可以在减肥时用来替代食糖，效果显著。

不仅如此，生活在肠道中的有益细菌也很喜欢低级多糖。这些细菌吃了低级多糖后，它们的数量就会增加，从而让肠道更加健康。

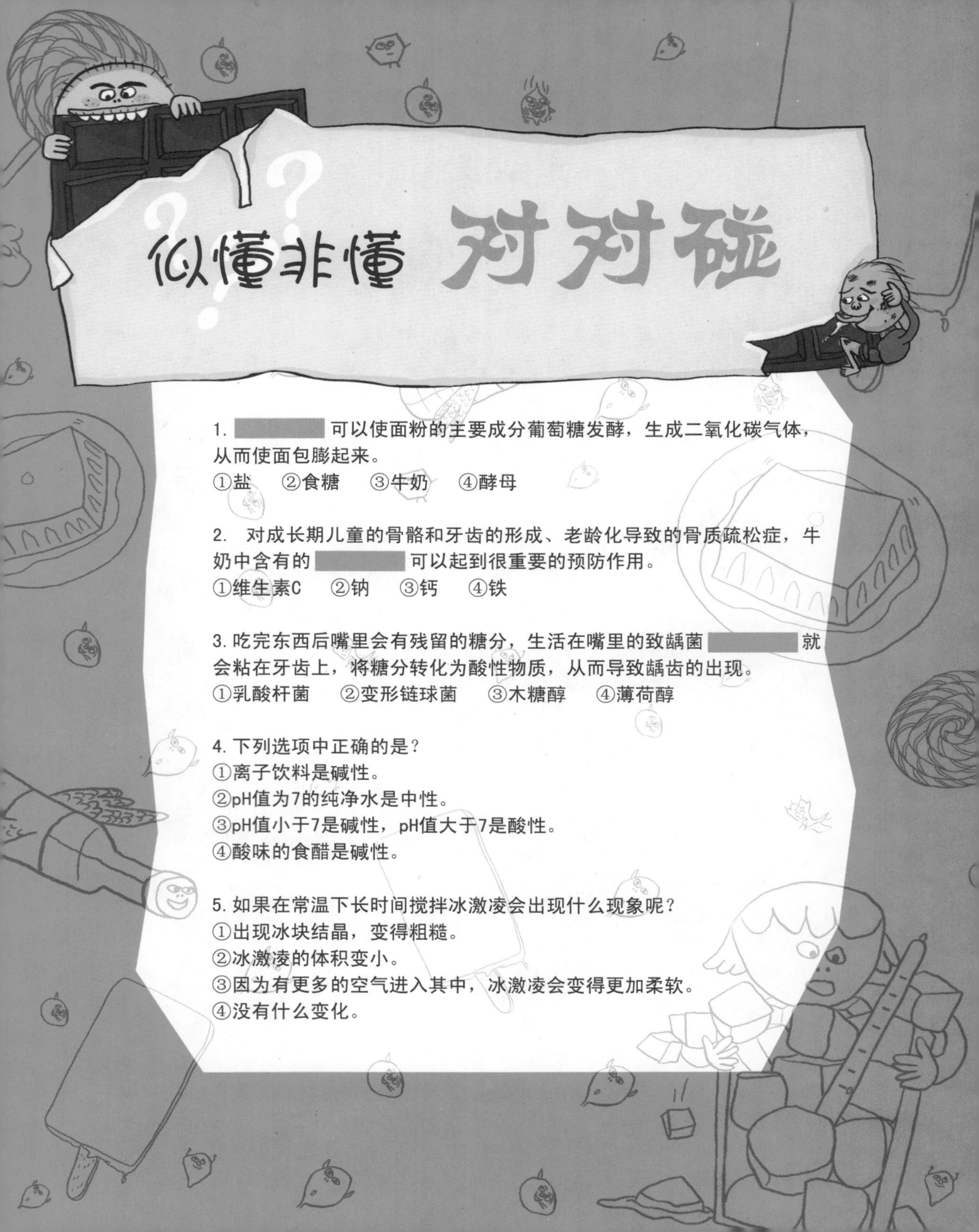

似懂非懂 对对碰

1. ________ 可以使面粉的主要成分葡萄糖发酵，生成二氧化碳气体，从而使面包膨起来。

①盐　②食糖　③牛奶　④酵母

2. 对成长期儿童的骨骼和牙齿的形成、老龄化导致的骨质疏松症，牛奶中含有的 ________ 可以起到很重要的预防作用。

①维生素C　②钠　③钙　④铁

3. 吃完东西后嘴里会有残留的糖分，生活在嘴里的致龋菌 ________ 就会粘在牙齿上，将糖分转化为酸性物质，从而导致龋齿的出现。

①乳酸杆菌　②变形链球菌　③木糖醇　④薄荷醇

4. 下列选项中正确的是？

①离子饮料是碱性。

②pH值为7的纯净水是中性。

③pH值小于7是碱性，pH值大于7是酸性。

④酸味的食醋是碱性。

5. 如果在常温下长时间搅拌冰激凌会出现什么现象呢？

①出现冰块结晶，变得粗糙。

②冰激凌的体积变小。

③因为有更多的空气进入其中，冰激凌会变得更加柔软。

④没有什么变化。

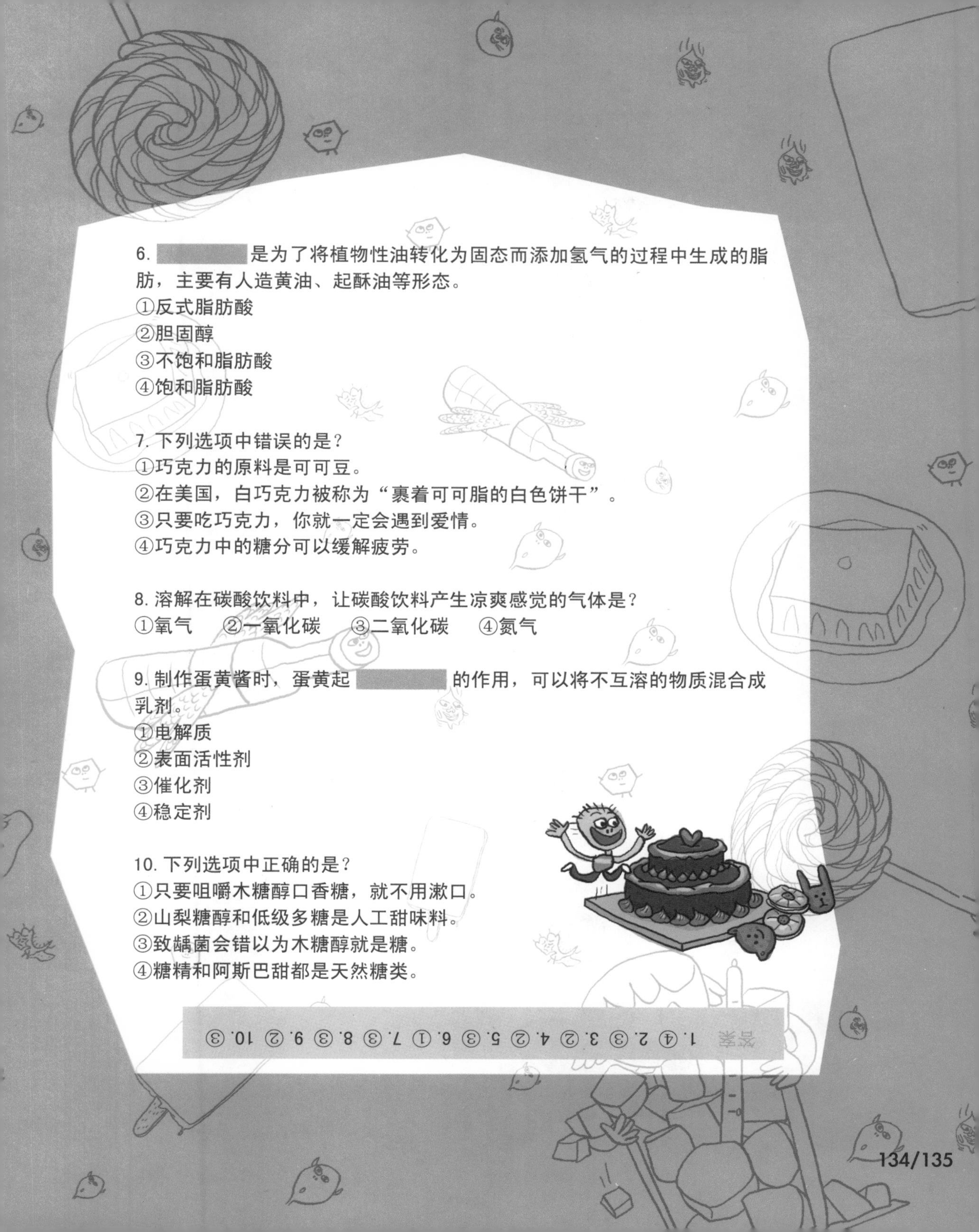

6. ______是为了将植物性油转化为固态而添加氢气的过程中生成的脂肪，主要有人造黄油、起酥油等形态。
①反式脂肪酸
②胆固醇
③不饱和脂肪酸
④饱和脂肪酸

7. 下列选项中错误的是？
①巧克力的原料是可可豆。
②在美国，白巧克力被称为“裹着可可脂的白色饼干”。
③只要吃巧克力，你就一定会遇到爱情。
④巧克力中的糖分可以缓解疲劳。

8. 溶解在碳酸饮料中，让碳酸饮料产生凉爽感觉的气体是？
①氧气　②一氧化碳　③二氧化碳　④氮气

9. 制作蛋黄酱时，蛋黄起______的作用，可以将不互溶的物质混合成乳剂。
①电解质
②表面活性剂
③催化剂
④稳定剂

10. 下列选项中正确的是？
①只要咀嚼木糖醇口香糖，就不用漱口。
②山梨糖醇和低级多糖是人工甜味料。
③致龋菌会错以为木糖醇就是糖。
④糖精和阿斯巴甜都是天然糖类。

答案　1.④ 2.③ 3.② 4.② 5.③ 6.① 7.③ 8.③ 9.② 10.③

我就是传说中的“饭桶”！